EN CADA EJEMPLAR DE
LA COLECCIÓN CARA Y
CRUZ EL LECTOR
ENCONTRARÁ DOS
LIBROS DISTINTOS Y
COMPLEMENTARIOS
• SI QUIERE LEER
SEVA
DE
LUIS LÓPEZ NIEVES
EMPIECE POR ÉSTA, LA
SECCIÓN "CARA" DEL
LIBRO • SI PREFIERE
AHORA CONOCER
ENSAYOS SOBRE LA OBRA
Y SU AUTOR, CITAS A
PROPÓSITO DE ELLOS
Y CRONOLOGÍA, DELE
VUELTA AL LIBRO Y
EMPIECE POR LA
TAPA OPUESTA,
LA SECCIÓN "CRUZ".

SEVA

LUIS LÓPEZ NIEVES

SEVA

HISTORIA DE LA PRIMERA INVASIÓN NORTEAMERICANA
DE LA ISLA DE PUERTO RICO OCURRIDA EN MAYO DE 1898

COLECCIÓN

GRUPO EDITORIAL NORMA
http://www.norma.com

Bogotá, Barcelona, Buenos Aires, Caracas,
Guatemala, Lima, México, Panamá, Quito, San José,
San Juan, San Salvador, Santiago de Chile, Santo Domingo

López Nieves, Luis, 1950-

Seva / Luis López Nieves—San Juan: Grupo Editorial Norma, 2006.

184 p; 21 cm—(Colección cara y cruz)

Con: A propósito de Luis López Nieves y su obra.

ISBN 958-04-9214-X

1. Cuento puertorriqueño. 2. Seva-crítica e interpretación. 3. López Nieves, Luis, 1950-

Página electrónica del autor: www.ciudadseva.com

Dirección electrónica del autor: info@ciudadseva.com

Impreso por Banco de Ideas Publicitarias Ltda.

Impreso en Colombia - Printed in Colombia

octubre de 2007

Editora: Gizelle F. Borrero

Diseño de la colección: Catalina Mojica González

Diagramación de cubierta: Milagros Reyes.

Ilustración: Carmen Mercedes Vázquez (Detalle del cuadro *12 de mayo de 1898*)

Armada electrónica: Ángela Goicochea y Milagros Reyes

1ra edición, septiembre de 1984

12ma edición, septiembre de 2003

1ra edición para *Cara y cruz*, marzo 2006

ISBN: 958-04-9214-X

ISBN: 978-958-04-9214-6

C.C. 20233

CONTENIDO

A Dolores Nieves Rosado

SEVA:

**HISTORIA DE LA PRIMERA INVASIÓN
NORTEAMERICANA DE LA ISLA DE PUERTO RICO
OCURRIDA EN MAYO DE 1898**

15 de octubre de 1983

Sr. Luis Fernando Coss
Director
Periódico *Claridad**
Avenida Ponce de León 1866
Santurce, Puerto Rico

Estimado señor Coss:

Después de mucho titubeo y de tomar varias precauciones que garanticen mi seguridad personal, he decidido hacerle entrega de este sobre donde encontrará amplia documentación que evidencia cada una de las graves palabras que escribiré a continuación (también hallará un importantísimo mapa). La querida amistad que tuve con el desaparecido Víctor Cabañas, y mi algo difuso sentido del deber (no soy un héroe), me obligan a no sólo asegurar la publicación de estos documentos sino a asumir toda la responsabilidad.

---

* Este texto se publicó originalmente en el periódico *Claridad* el 23 de diciembre de 1983 (N. del E.).

Como verá en breve, se trata del resultado de una minuciosa investigación histórica que llevó a cabo mi amigo el doctor Víctor Cabañas (quien fuera, hasta poco tiempo antes de desaparecer, profesor de historia de la Universidad Interamericana de Puerto Rico). Víctor, como también podrá ver, ha pagado un precio muy alto para probar que cuando los norteamericanos entraron a Puerto Rico el 25 de julio de 1898, por el pueblo de Guánica, no lo hicieron de la forma en que oficialmente suele describirse. ¡La invasión de Guánica fue la segunda invasión norteamericana! La primera, varios meses antes, fue por la costa este de la Isla y fracasó.

Casi puedo, estimado Sr. Coss, verlo sonreír y preguntarse si se trata de alguna broma. Entiendo perfectamente porque al principio yo también leí los documentos con escepticismo. Por eso le ruego que siga leyendo y que no se detenga hasta terminar. Verá que, como dije al principio, todo está evidenciado (podría incluso verificar la autenticidad del mapa). Luego de terminar la lectura de los documentos, lo único que le pido (en honor a Víctor) es que los publique (no publique las fotos de don Ignacio).

(He ordenado los documentos de manera que presenten un cuadro narrativo coherente. Las cartas–diario de Víctor, las cuales me llegaban por correo esporádicamente, sirven de hilo unificador.)

Muy cordialmente,

Luis López Nieves

Anejos:

1. Cartas–diario del Dr. Víctor Cabañas (originales).
2. Páginas del Diario del general Nelson Miles (originales).
3. Mapa de Puerto Rico impreso en 1896, en San Juan.
4. Afidávit firmado por don Ignacio Martínez (declaración jurada).
5. Fotos de don Ignacio Martínez y de su bohío.
6. Grabación del testimonio de don Ignacio Martínez, por él mismo.

DIARIO DEL DR. VÍCTOR CABAÑAS

27 de junio de 1978
San Juan de Puerto Rico

Querido amigo Luis:

Estos apuntes, escritos a modo de diario, están dirigidos a ti porque ya intuyo que algo anda terriblemente mal. En términos generales, creo que sé cuidarme y que nada me ocurrirá. Pero de no ser así estarás tú para saber qué hacer y cómo ayudarme. Te enviaré por correo, pues, resúmenes esporádicos de mis actividades y descubrimientos. ¿Para qué son los amigos?

Al grano: hace pocos meses, mientras leía un hermoso libro del Dr. Marcelino Canino, *El cantar folklórico de Puerto Rico*, empecé a sospechar que un supuesto "error" no lo era en realidad. Como sabes, en este libro Canino publica una enorme y fascinante colección de literatura oral, la cual ha recopilado personalmente. Su labor fue ardua. Llegaba hasta muchos de los más remotos lugares de la Isla para sentarse a hablar con ancianos y pedirles que le contaran o recitaran las coplas, romances, canciones de cuna o cualquier cosa semejante que recordaran de su niñez.

Pues sucede que en la página 135 leí una copla que me estremeció. Dice, entre otras cosas, que "los americanos llegaron en *mayo*". Durante varias noches no pude dormir. Lo cierto es que nuestros libros de historia dicen, con mucha claridad, que la invasión norteamericana fue el 25 de julio de 1898, así que ¿por qué preocuparme? Canino, de hecho, comenta este presunto error en una nota al calce y ofrece dos explicaciones posibles:

1. Simple ignorancia, pasada de boca en boca, o
2. Exigencias de la rima (es decir, licencia poética).

Comencé, sin embargo, a imaginarme otra posible explicación (aunque debo aclarar que no estoy acusando a Canino, quien es mi amigo, de negligencia; él cumplió con su labor al publicar la copla verbátim).

Empecé a acudir al Archivo Nacional diariamente. Buscaba a ciegas y no lograba precisar una meta clara, cuando me encontré, una tarde de la semana pasada, con mi amigo Jaime Rodríguez (a quien conociste en casa en una ocasión). Cuando quiso saber, como es natural, qué proyecto yo estaba investigando, titubeé y no pude contestar. Creo que al principio se sintió incómodo al notar mi recelo. Intentó cambiar el tema, pero yo sentí un impulso y dije de pronto:

–Busco sobre mayo, Jaime. Cualquier cosa sobre mayo de 1898.

No sé si recuerdas bien a Jaime porque una de sus mayores características es la calma, la pasta. Me cogió del brazo y nos sentamos en una de las mesas. Lentamente explicó que en su tesis de maestría había estudiado el período de 1898–1900; es decir, la ocupación militar norteamericana. Siempre con calma, resumió la tesis y explicó su enfoque analítico. Pasó luego a hablar sobre los informes militares del periodo y entonces dijo las palabras más importantes que he oído en mi vida. Las dijo despacio y en voz muy baja:

—Sabes, Víctor, algunas veces noté algo que me llamó la atención. Pero no tenía tiempo para investigarlo a fondo. En varios informes aparecían referencias muy vagas al mes de mayo.

Jaime había llegado a una conclusión temporera, con la intención de investigarla algún día con más calma:

—Creo que originalmente planearon invadir en mayo. Pero algo pasó y entonces cambiaron la fecha para julio.

Jaime siguió hablando, pero ya todo era en vano: yo había tomado mi decisión. Tardé una semana en hacer los preparativos y conseguir las direcciones y la información que necesitaba. Mañana temprano salgo para Washington, D.C., en un viaje que tal vez sea producto de una extraordinaria estupidez o de una intuición genial. No sé.

Te abraza,

Víctor

14 de octubre de 1978
Washington, D.C.

Querido amigo Luis:

Llevo varios meses en Washington. Mi madre, como

siempre, salvó mi lío con la Interamericana y logró que el rector Cartagena me diera una licencia sin sueldo. Los primeros dos meses los pasé en el Pentágono, en la Biblioteca de las Fuerzas Armadas (Armed Forces Library). Luego pasé a la Biblioteca del Congreso y al Brookings Institution. No he encontrado cosa alguna. Anoche, sin embargo, recibí una información que podría ser decisiva. Estaba en los archivos de la biblioteca de Georgetown y entablé conversación con un norteamericano que enseña historia en esa Universidad. Conoce muy bien el periodo que me interesa, el cual la historiografía norteamericana llama el "periodo de expansión imperialista". Su tesis doctoral giró en torno a las invasiones norteamericanas de Cuba y Puerto Rico durante la guerra hispano–norteamericana. Le señalé que mi intención era estudiar a fondo la invasión de Puerto Rico (no le dije lo de mayo) y que me interesaba, en particular, encontrar más información sobre el comandante de la invasión: el general Nelson Miles. De pronto, en la forma más casual, ha dicho palabras que me sacudieron:

–¿Por qué no visitas a la nieta? Vive muy cerca y guarda todos los papeles del General. Se llama Peggy Ann Miles.

Disimulé mi emoción, le di las gracias y acepté su invitación a cenar la semana próxima. Tan pronto regresé a mi hotel consulté la guía telefónica. Todo, el nombre, número de teléfono y dirección, todo estaba allí. Anoté la dirección: 8803 Edison St., Alexandria,

Virginia; a 20 minutos de Washington. Era tarde y yo estaba demasiado ansioso, así que esperé hasta esta mañana para llamar. La viejita, muy amable, me ha dado cita para hoy a las 4:00 p.m. Le expliqué que yo era un puertorriqueño muy orgulloso de tener la ciudadanía norteamericana y que a mi juicio se la debíamos al valor de su ilustre abuelo. Mi intención era escribir una biografía del General que de una vez dejara claramente establecida esta enorme deuda. Muy jubilosa, jadeante casi, accedió a verme esta tarde.

Te abraza,

Víctor

21 de octubre de 1978
Washington, D.C.

Querido amigo:

¡He cruzado el Rubicón!

Peggy Ann Miles es una viejita encantadora que vive en una casita como de postales. Es solterona y algo sorda, pero su aliento es dulce. Me recibió con galletas, té y palabras muy corteses. Cuando finalmente me atreví a sugerirle que me permitiera ver los papeles del general Miles, me llevó a una biblioteca pequeña y hermosa. Señaló uno de los tablilleros y dijo que todos los libros que contenía habían sido propiedad de su abuelo. Luego colocó la mano sobre un archivo de tres gavetas y dijo con emoción:

–Estos son los papeles de mi abuelo.

Pasé cuatro días (15, 16, 17, 18) en la biblioteca y puedo decir que, con la excepción de algunas amables interrupciones de Peggy Ann para comer o tomar el té, los pasé leyendo todo lo que escribió el general Miles en su vida. El primer día dediqué algunas horas a revisar los libros del tablillero, casi todos clásicos de la literatura o de las ciencias militares. Pero yo sabía que mi presa estaba en el archivo.

Lo admito: estoy haciendo un enorme esfuerzo por controlarme. En realidad lo que siento es deseos de gritar y bailar de alegría. En una semana he aprendido lo suficiente como para reescribir la historia de Puerto Rico. Los últimos tres días (19, 20 y hoy, 21) he estado en la habitación de mi hotel haciendo una importante traducción, la cual copio a continuación. Resulta que, entre innumerables papeles aburridos e inservibles, ¡he encontrado el Diario del general Nelson Miles! Incluyo únicamente las partes pertinentes a este estudio. Mi traducción es exacta y fiel en todo lo relacionado con el contenido *per se*. Lo que no pude transmitir con exactitud, porque no soy lingüista, es su estilo militar de fines de siglo.

A continuación mi gran obra. El descubrimiento más importante de mi vida, la confirmación de mis sospechas:

General Nelson Miles

FRAGMENTO DEL DIARIO
DEL GENERAL NELSON MILES

5 de mayo de 1898
1130 horas

Hoy comenzó la invasión de Porto Rico (sic). Tal y como habíamos planeado, desembarcamos a las 1000 horas por la playa del pueblo de Seva. Pero sufrimos un serio revés. He sido un torpe. Nuestros agentes me garantizaron que, de haber resistencia, sería mínima. Mis escuchas desembarcaron antes y encontraron todo tranquilo en la playa. Entonces ordené el desembarco del grueso de las tropas, el cual no tuvo contratiempos (debí sospechar). Una vez organizados, iniciamos la marcha triunfal hacia el pueblo, y fue entonces que nos sorprendió una formidable fuerza enemiga ("a formidable enemy force"), sobre la cual aún no sé absolutamente nada. La unidad enemiga se había atrincherado con la evidente intención de emboscarnos. Mis 2,000 tropas se redujeron a la mitad en menos de una hora porque en la playa no teníamos refugio. (Justo a mi lado cayó, heroicamente, mi edecán y amigo, el capitán Andrew Virtue.) No tengo informes de bajas enemigas. En estos momentos estamos, al fin, atrincherados. El fuego enemigo imposibilita nuestro regreso a los barcos.

5 de mayo de 1898
1800 horas

Seguimos sufriendo bajas, aunque muy pocas. Es imposible alcanzar al enemigo. Estamos totalmente atrapados, impotentes por completo. A muchas tropas les sangran las manos debido a la rapidez con que tuvieron que cavar las trincheras. Nuestros barcos, es evidente, no se atreven a apoyarnos con sus cañones debido a nuestra cercanía con el enemigo. Confío plenamente en la capacidad de mis oficiales. Pienso, por tanto, dejarlos a cargo de la playa y, con la ayuda de la noche, regresar a los barcos en un pequeño bote de remos. Allí seré de más utilidad.

5 de mayo de 1898
2200 horas

Estoy en el barco. Intentamos abastecer a las tropas con los botes pero el enemigo se dio cuenta y nos ha imposibilitado todo movimiento. Es asombrosa la puntería de estos hijos de puta ("sons of bitches"). Malditos sean.

6 de mayo de 1898
1000 horas

La situación es estática. Al menor movimiento de nuestras tropas en la playa, comienza el fuego enemigo. Mis soldados viven como ratones hambrientos en sus trincheras. Hago todo lo posible para sacarlos de allí.

6 de junio de 1898
0900 horas

Tácticamente hablando, la situación no ha cambiado en el último mes. La moral de las tropas, como es de esperarse, está muy deteriorada. Durante las noches más oscuras hemos logrado infiltrar 5 ó 6 botes con abastecimientos, lo cual apenas logra mantenerlas vivas. Espero noticias de mis agentes en la Isla. Hemos establecido contacto con ellos en alta mar. Durante el último mes nos hemos dedicado a bombardear al pueblo diariamente. Ya no queda en pie ni la iglesia. A pesar de que sólo permanecen los escombros del poblado, seguimos bombardeando por varias razones. Primero, para socavar la moral de los defensores. Segundo, porque no podemos disparar sobre el enemigo directamente debido a que están demasiado cerca de los nuestros y podríamos equivocarnos. Tercero, porque no hay otra cosa que hacer y debo mantener ocupados a los marinos.

Acorazado Iowa

Crucero acorazado New York

11 de julio de 1898
0925 horas

Ayer llegaron dos barcos con tropas frescas. Aquí no puedo darles uso pero han surgido otras opciones. Nuestros agentes se han comunicado con varios portorriqueños (sic) influyentes y éstos se han comprometido con nosotros, convencidos de la inevitabilidad de nuestro triunfo militar (Dios y la justicia están de nuestra parte). Un político de cierta importancia, Luis M. Rivera, está dispuesto a cooperar. Durante la negociación le prometimos la gobernación de la Isla bajo nuestra bandera, lo cual no tengo intención alguna de cumplir, por supuesto. Nos ha informado, en cambio, que el pueblo más vulnerable en el momento es uno llamado Guánica, al oeste de la costa sur de la isla. No tiene guarnición armada y posee una excelente bahía. Luis M. Rivera anunciará su apoyo a la invasión y luego nos dará la bienvenida pública en una ceremonia que se llevará a cabo en un pueblo cercano llamado Ponce de León (sic). Dios perdone a este Benedict Arnold portorriqueño (sic) que tanto bien está dispuesto a hacernos.

El Gloucester disparando a la entrada del puerto de Guánica

PROCLAMA

CUARTEL GENERAL DEL EJERCITO DE LOS ESTADOS UNIDOS

PONCE, PUERTO-RICO JULIO 28 DE 1898.

¡A LOS HABITANTES DE PTO-RICO!

Como consecuencia de la guerra que trae empeñada contra España el pueblo de los Estados Unidos por la causa de la Libertad, de la Justicia y de la Humanidad, sus fuerzas militares han venido á ocupar la isla de Puerto-Rico. Vienen ellas ostentando el estandarte de la Libertad, inspiradas en el noble propósito de buscar á los enemigos de nuestro país y del vuestro, y de destruir ó capturar á todos los que resistan en las armas. Os traen ellas el apoyo armado de una nación de pueblo libre, cuyo gran poderío descansa en su justicia y humanidad para todos aquellos que viven bajo su protección y amparo. Por esta razón, el primer efecto de esta ocupación será el cambio inmediato de vuestras antiguas formas políticas, esperando, pues, que aceptéis con júbilo el Gobierno de los Estados Unidos.

El principal propósito de las fuerzas militares americanas será abolir la autoridad armada de España y dar al pueblo de esta hermosa Isla la mayor suma de libertades compatibles con esta ocupación militar.

No hemos venido á hacer la guerra contra el pueblo de un país que ha estado durante algunos siglos oprimido, sino, por el contrario, á traeros protección, no solamente á vosotros sino también á vuestras propiedades, promoviendo vuestra prosperidad y derramando sobre vosotros las garantías y beneficios de las instituciones liberales de nuestro Gobierno. No tenemos el propósito de intervenir en las leyes y costumbres existentes que fueren sanas y beneficiosas para vuestro pueblo, siempre que se ajusten á los principios de la administración militar, del orden y de la justicia.

Esta no es una guerra de devastación, sino una guerra que proporcionará á todos, con sus fuerzas navales y militares, las ventajas y prosperidad de la esplendorosa civilización.

Nelson A. Miles.
General en Jefe del Ejercito de los Estados Unidos.

Tip. "Listin Comercial"

25 de julio de 1898
2200 horas

¡Desembarco exitoso en Guánica! Varios desquiciados sueltos, y una pequeña banda, nos opusieron resistencia, pero mis 3,000 infantes de marina los dispersaron. Se refugiaron en las montañas. Mañana saldremos hacia Ponce de León (sic) donde Luis M. Rivera nos espera para la ceremonia pública. Nuestras bajas: mínimas. Nuestra moral: alta. La gente fina del pueblo nos ha recibido muy bien. La chusma ("the rabble") ni una cosa ni la otra: parece indiferente.

28 de julio de 1898
1300 horas

Confieso que la ceremonia de bienvenida, celebrada aquí en Ponce, me ha emocionado. Luis M. Rivera dio un corto discurso en inglés y me hizo entrega de la llave no sólo de la ciudad sino de la Isla entera. La resistencia ha sido mínima: uno que otro fanático. Mañana saldremos rápidamente hacia Seva con la intención de sorprender al enemigo por las espaldas.

10 de agosto de 1898
1300 horas

¡Misión cumplida! Hace 4 días sorprendimos al enemigo. Se trataba de cada uno de los habitantes de Seva. Tomamos acción rápida pero el exterminio no fue fácil, a pesar de que éramos casi 4,000 contra 721. (Mis 3,000 tropas frescas, más las casi 1,000 que llevaban tres meses en la playa.) Debo admitir que opusieron una resistencia feroz, organizada y heroica, digna de nuestra guerra de independencia contra los británicos y a la altura de un Cid o un Wellington. Ni siquiera en Wounded Knee vi yo tantos actos heroicos como he visto en Seva. Por eso he consultado a mi estado mayor y he tomado la siguiente determinación: debemos borrar todo rastro de esta oposición. Hemos tomado los siguientes pasos: murieron 650 durante el combate; habíamos apresado a los restantes 71 (40 mujeres, 8 hombres, 23 niños). Pero ya que es necesario borrar toda huella, al otro día ordené que los fusilaran a todos. Terminamos de quemar y demoler lo poco que quedaba del pueblo (la labor de nuestros cañones había sido minuciosa). Ya no queda huella de su existencia. Tan pronto consolidemos nuestro control sobre todo el país, haré borrar toda mención de Seva de todo expediente, periódico, libro o papel, y lo borraremos de todos los mapas. Me aseguraré, personalmente, de que este pueblo perezca para siempre y de que no pueda renacer convertido en una especie de Álamo.

leave for Siwa, with the intention of approaching the enemy's rear guard and surprising him.

August 10, 1898
1300 hours.

Mission accomplished! Four days ago we took the enemy by surprise. Each and every one of the inhabitants of Siwa. We took quick action but the extermination was not very easy, even though it was 4,000 of us against 721. (My 3,000 fresh troops, plus the almost 1,000 which had been on the beach for three months.) I must admit that they presented a ferocious, organized and heroic resistance, worthy of our own war of Independence against the British

Página del diario del general Nelson Miles

Caricatura de la época

Partida de sediciosos capturada en Ponce a fines de 1898.

Luis M. Rivera nos ha hecho varias recomendaciones excelentes: ya que la gente de los pueblos cercanos podría echar de menos a Seva, y para evitar que en el futuro puedan encontrarse siquiera las cenizas del pueblo, deberemos:

1. Construir sobre los escombros del pueblo (y las tumbas de sus habitantes) una base militar, para evitar que algún enemigo de los Estados Unidos de América pueda en el futuro encontrar evidencia de este incidente.

2. Construir otro pueblo en las cercanías, para que los habitantes del resto de la Isla piensen que es el mismo. Luis M. Rivera sugiere que tanto la base como el pueblo sean bautizados con el nombre "Ceiba". De esta manera, si alguien pregunta por Seva se le responderá: "Usted se equivoca, el nombre correcto es 'Ceiba'" (en español la pronunciación de estos nombres es parecida).

Un detalle: antes de la ejecución, uno de estos negritos ("niggers") se escapó. Dudo que sobreviva en el bosque porque era un niño. De todos modos, todavía lo estamos persiguiendo. Uno de los oficiales recordó que al niño le faltaba la oreja izquierda. Con esta seña será menos difícil encontrarlo.

* * *

Aquí terminan las páginas del Diario del general Nelson Miles relacionadas con la heroica Resistencia de Seva. Están tan claras que no requieren comentario.

Pensé fotocopiarlas y devolver los originales a la casa de Peggy Ann (de donde las saqué en mi maletín, sin que ella sospechara) porque ella siempre fue muy amable conmigo. Pero estimé que las necesitaba como evidencia porque están escritas en puño y letra del general Miles. Lo que hice, pues, fue dejar las fotocopias en el archivo, sustituyendo las páginas originales, las cuales te incluyo (guárdalas como si fueran tu propia piel).

En este momento no puedo añadir mucho a esta evidencia tan contundente. Varios comentarios: ¿Recuerdas la famosa masacre de indios que se llevó a cabo en Wounded Knee el siglo pasado? Pues sucede que el general Nelson Miles fue el oficial a cargo de ella. Yo desconocía este hecho. Por otro lado, no es difícil adivinar quién es Luis M. Rivera ya que los norteamericanos nunca han podido entender que nuestro segundo apellido es el materno.

La cantidad de habitantes de Seva indica que era un pueblo de fundación reciente. Sólo así se explica que la labor erradicadora del general Nelson Miles haya sido absoluta. El joven pueblo apenas había tenido tiempo de aparecer en los pocos periódicos del país o en los libros de historia. No sé. Por otra parte, también es posible que haya sido una especie de colonia penal o un lugar de exilio doméstico.

¡Sé lo que debo hacer! Mañana, 22 de octubre, salgo para España directamente.

Te abraza,

Víctor

13 de septiembre de 1979
Oviedo, Asturias, España

Querido amigo Luis:

Estoy a punto de cumplir un año husmeando en España. Son pocas las bibliotecas de la península que no he escudriñado anaquel por anaquel, gaveta por gaveta, pulgada por pulgada. La única persona a quien le escribo, además de a ti, es a mi madre. Sólo ella sabe mi dirección, con instrucciones de no divulgarla a nadie. Perdona, amigo Luis, que te haya incluido en la prohibición; es necesario.

La Universidad Interamericana me formuló cargos y me despidió por irresponsabilidad crasa o agravada, algo así. No los puedo culpar. Durante el pasado año académico me desaparecí sin dar explicaciones y acabo de hacer lo mismo este año escolar que recién empezó. Vivo con una pequeña mensualidad que me envía mamá.

No sé por qué decidí escribir hoy. Tal vez porque me siento solo y a veces pienso que voy a desanimarme. Estos últimos once meses no han sido fáciles. Vivo metido en bibliotecas, duermo en incómodas pensiones de estudiantes y tengo la misma ropa. No puedo comprarme nada, no he ido al cine, no he estado con una mujer. Tarde en la noche leo libros viejos que tomo prestados en las bibliotecas. El dinero no me da para comprar el periódico. Mamá, quien siempre me apoya y nunca ha intentado imponerme su voluntad, acaba de enviarme una carta airada. Me regaña, me acusa de fanático y amenaza con dejar de enviarme dinero (aunque sé que sería incapaz de hacerlo). Mi novia, Beatriz, le entregó la sortija de compromiso a mamá y mandó a decirme lo siguiente: "Dígale a su hijo que es un imbécil". Mañana cumplo 30 años de edad. ¿Soy un imbécil?

Abrazos,

Víctor

29 de noviembre de 1979
Vigo, Galicia, España

Querido amigo Luis:

No intentaré disimular: lo cierto es que estoy loco de alegría. ¡Eureka, coño! ¡Lo encontré al fin! No sé cómo ni por qué llegó a la biblioteca de tan remota ciudad de Galicia, pero lo cierto es que llegó. Tengo en mis manos un pequeño mapa de Puerto Rico impreso en el 1896, en San Juan. En el mismo lugar donde actualmente está localizada la Base Naval Roosevelt Roads (conocida también como la base de Ceiba) dice, en letras pequeñas: SEVA. Como en casa de Peggy Ann, me bastó echar el mapa en el maletín y salir de la biblioteca. Lo llevé adonde dos anticuarios de Madrid y ambos confirmaron su autenticidad.

Ya te envié las páginas del Diario del general Nelson Miles y ahora te envío el mapa. Tal vez el próximo paso sea el más importante. Hoy recibí el pasaje de regreso que me envió mamá. Mañana, 30, salgo para Puerto Rico. Nadie, sin embargo, me verá: desde el aeropuerto me trasladaré directamente a la Sierra de Luquillo, en el oriente de la Isla.

Te abraza,

Víctor

6 de junio de 1980
Oriente de Puerto Rico

Querido amigo:

Llevo poco más de seis meses caminando por los campos de Luquillo, Naguabo, Ceiba, Río Grande, Fajardo, Canóvanas, etc. Mi tesis es la siguiente: si el niño sin oreja izquierda que se le fugó al general Miles tenía siete años en el 1898, entonces nació en el 1891. Es decir: si está vivo ahora, en el 1980, tiene 89 años de edad. Tengo la esperanza de encontrarlo.

Abrazos,

Víctor

29 de noviembre de 1979
Vigo, Galicia, España

Querido Amigo Luis:

No intentaré disimular; lo cierto es que estoy loco de alegría; Enedko, coño! ¡Lo encontré al fin! No sé cómo ni por qué llegó a la biblioteca de tan remota ciudad de Galicia, pero lo cierto es que llegó y cayó en mis manos un pequeño mapa de Puerto Rico, impreso en el 1896, en San Juan. En el mismo lugar donde actualmente está localizada la Base Naval Roosevelt Roads (conocida también como la base de Ceiba) dice, en letras pequeñas: SEVA. Como en casa de Peggy Ann, me bastó echar el mapa en el maletín y salir de la Biblioteca. Lo llevé a donde dos anticuarios de Madrid y ambos confirmaron su autenticidad.
Ya te envié las páginas del diario del General Nelson Miles y

Página de una de las cartas del doctor Víctor Cabañas.

Mapa encontrado por el doctor Víctor Cabañas.

**Detalle del mapa encontrado por el doctor Víctor Cabañas.
La flecha apunta hacia Seva.**

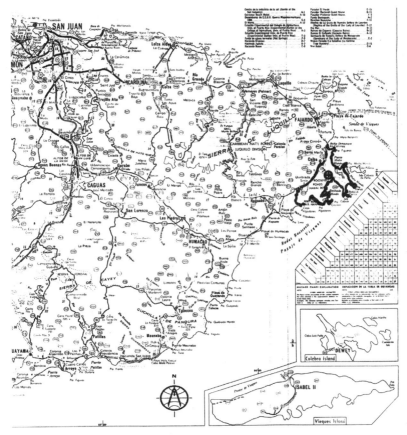

Mapa actual de Puerto Rico
La línea gruesa indica los límites de la base naval Roosevelt Roads.
La cruz señala el lugar en que se encuentran los escombros de Seva.

17 de enero de 1981
El Duque, Naguabo
Puerto Rico

Querido Luis:

No sé por qué los acontecimientos más importantes de nuestra vida suelen ocurrir en la forma más casual. Yo estaba tomando café en el balcón de la casa de doña Luca, una viejita muy dulce que vive con su hija en uno de los sectores más inaccesibles del Barrio El Duque, de Naguabo (detrás del Yunque), cuando un mulato alto y muy viejo entró, saludó y pidió café. Se sentó a mi izquierda. Ninguno de los dos hablamos mientras doña Luca buscaba el café. Yo, porque estaba cansado, deprimido y desanimado. Él, porque según supe luego apenas hablaba nunca. Al regresar al balcón con el café doña Luca dijo:

–Don Ignacio, le presento al señor Víctor Cabañas. Es de San Juan y escribe libros.

Don Ignacio se viró lentamente y fue entonces que noté que le faltaba la oreja izquierda. No me excité demasiado porque no era la primera persona sin oreja que había visto en los últimos meses: había sufrido dos falsas alarmas. Di mi taza a doña Luca y pedí más café. Tan pronto ella entró a la casa me acuclillé frente a don Ignacio y dije, frustrado y casi con rabia:

–Usted nació en Seva.

El anciano dejó caer la taza e intentó ponerse de pie. Los ojos se le abrieron de un modo casi grotesco: estaba aterrado. Súbitamente consciente de mi error, lo sujeté por los hombros y le pedí perdón.

–No corre usted peligro, lo juro –dije.

De pronto suspiró, se relajó y bajó la cabeza. Dijo en voz baja:

–¡Ya pa qué! Que me maten también.

Abrazos,

Víctor

14 de agosto de 1981
El Duque, Naguabo,
Puerto Rico

Amigo Luis:

Acabo de leer, con un nudo en la garganta, las copias de todas las cartas que te he enviado. Mi vida ha cambiado para siempre porque el pasado 17 de enero, después de 14 meses de búsqueda descorazonada, encontré por fin al niño–sin–oreja–izquierda: don Ignacio Martínez. Cuando la Masacre de Seva tenía 9 años (y no 7, como yo había estimado) y ahora tiene 92, aunque luce mucho más joven (como de 70). Vive en un bohío oculto en la parte más alta y espesa de El Duque. No creo presumir si digo que ya somos amigos.

Después de conocerlo en casa de doña Luca nos fuimos a caminar por el bosque y pasamos el resto del día hablando. Por la noche comimos en el bohío y luego sostuvimos otra larguísima conversación. Me sentí halagado cuando este ser humano tan digno y amable me invitó a pasar la noche.

Los últimos siete meses los he pasado en el bohío, con la excepción de algún viaje ocasional al pueblo. En este sobre te incluyo:

1. Afidávit juramentado por don Ignacio Martínez frente al licenciado Antonio Conde, en que afirma que su testimonio en torno a los sucesos de Seva es verídico.
2. Fotos de don Ignacio Martínez.
3. Testimonio autobiográfico (oral) de don Ignacio Martínez grabado en su propia voz (18 cassettes).

Te garantizo que al oír los cassettes sentirás una de las sensaciones más extrañas e intensas de tu vida: como escuchar los ecos de la historia. En este testimonio don Ignacio relata en detalle todo lo que sucedió en Seva: el heroísmo de todos los habitantes, la larga resistencia frente a los invasores, los casi tres meses de bombardeo, el fervor patriótico que los mantuvo vivos, el cerco sorpresivo de los invasores y la sangrienta masacre final. También relata sus experiencias anteriores a la invasión y su larga y dolorosa vida de cimarrón.

Ha terminado mi tarea en las montañas de Oriente. Con el afidávit encontrarás la dirección de doña Luca, quien podrá dirigirte hasta el bohío de don Ignacio en caso de que sea necesario. Él insiste en permanecer allí "los poquitos años que me quedan de vida".

Ahora comienza la próxima, y última, etapa de

YO, IGNACIO MARTINEZ, mayor de edad, soltero, fugitivo de la ley y vecino del Barrio El Duque, Naguabo, Puerto Rico, después de prestar juramento para decir verdad, bajo la fe de mismo declaro lo SIGUIENTE:

1. Que mi nombre y demás circunstancias personales son las antes expresadas.

2. Que nací en el año de 1889 en el desaparecido pueblo de SEVA, Puerto Rico.

3. Que en mayo de 1898 los americanos invadieron mi pueblo, SEVA.

4. Que en agosto de 1898, luego de una valiente resistencia de parte de mis compueblanos, los americanos fusilaron a los sobrevivientes de la guerra y después ocultaron este hecho.

5. Que fui el único que logró escapar con vida y desde entonces he vivido escondido en los montes de la Sierra de Luquillo.

6. Que he relatado todos los detalles de la matanza de SEVA al doctor Víctor Cabañas y he grabado en mi propia voz 18 cintas cassette donde narro estos hechos más todo lo que recuerdo sobre SEVA más le cuento también toda mi vida de cimarrón en los montes.

7. Que nombro al doctor Víctor Cabañas custodio de estas cintas y de mi testimonio escrito.

8. Que lo anteriormente declarado es la verdad y nada más que la verdad.

Y PARA QUE ASI CONSTE firmo y juro la presente declaración en El Duque, Naguabo, Puerto Rico hoy día 10 de junio de 1981.

Lucrecia Valentín
Testigo de marca

X
Declarante

Affidavit Núm. **579.**

Jurada ante mí por Ignacio Martínez, en las circunstancias personales antes indicadas y quien dice no saber firmar y estampa su marca, de la cual es testigo Lucrecia Valentín, a quienes conozco personalmente en Naguabo, Puerto Rico, a 10 de junio de 1981.

Antonio Conde
Abogado Notario

mi investigación. Sospecho que también será la más peligrosa. Sé que lees muchas novelas detectivescas, así que seguramente has adivinado adónde me dirijo. En efecto: voy a la Base Naval. Conozco muy poco sobre ella, lo que sabe cualquier lector común de periódicos: su nombre oficial es Roosevelt Roads; es la base naval norteamericana más grande fuera del territorio continental; durante la Segunda Guerra Mundial se preparó con el propósito de ser el cuartel general militar del gobierno británico en el exilio, si Inglaterra caía en manos de los Nazis. Lo que me preocupa, sin embargo, es una información que ha salido esporádicamente en la prensa desde hace algunos años y a la cual nunca presté mucha atención: las denuncias de periodistas locales, norteamericanos e internacionales, y las protestas de algunos gobiernos latinoamericanos, al efecto de que en dicha base existe un arsenal nuclear secreto, en violación de no sé cuál tratado que prohíbe las armas nucleares en América Latina. Esto me preocupa porque:

1. No sé qué encontraré allí realmente.
2. Debe estar bajo vigilancia muy especial.
3. Corro el riesgo de que me acusen de espía, lo cual conlleva pena de muerte.

Pero ya todo está preparado. Debo excavar, excavar, hasta encontrar las ruinas de Seva.

    Te abraza,

    Víctor

Don Ignacio Martínez, temiendo aún represalias de parte de las fuerzas invasoras norteamericanas, nos ha pedido que no publiquemos su foto. Sin embargo, hemos dejado este espacio en blanco, en espera del día en que sea posible mostrar el rostro del único sobreviviente de la *Masacre de Seva*.

POSTDATA DE LUIS LÓPEZ NIEVES

¿Dónde está mi amigo Víctor Cabañas? He esperado más de dos años antes de sacar estos documentos a la luz pública porque no he querido ponerlo en peligro. Pero ya no tengo paciencia. Víctor ha cumplido su misión heroicamente. ¡Hoy, al leer estas páginas, el pueblo de Puerto Rico se ha enterado, al fin, de los sucesos que culminaron en la MASACRE DE SEVA! Ahora le corresponde al gobierno explicar: ¿Dónde está el doctor Víctor Cabañas?

CRÓNICA

SEVA: UN SUEÑO QUE HIZO HISTORIA

Por
JOSEAN RAMOS

El 23 de diciembre de 1983 el pueblo de Puerto Rico se estremeció al enterarse de que la primera invasión norteamericana de Puerto Rico no se produjo el 25 de julio de 1898 por la ciudad de Guánica (como cuentan los libros de historia) sino el 5 de mayo a las 10:00 a.m. por la costa del desaparecido (masacrado) pueblo de Seva. Ese día, un puñado de 721 sevaeños resistió con fervor patriótico el ataque norteamericano a la isla y finalmente derrotó a las 2,000 tropas del general Nelson Miles.

En realidad no se trataba de una victoria histórica sino de una epopeya literaria muy bien escrita por Luis López Nieves y publicada en el suplemento *En Rojo* del periódico *Claridad* en su edición del 23 al 29 de diciembre.

A partir de ese día la publicación del texto *Seva: Historia de la primera invasión norteamericana de la isla de Puerto Rico ocurrida en mayo de 1898* generó una serie de reacciones en cadena sin precedentes en la historia literaria de Puerto Rico, algunas de las cuales llegaron a superar a la ficción misma. Los que no tenían el periódico lo pedían prestado, lo procuraban infructuosamente en negocios que habían agotado todos sus ejemplares, sacaban fotocopias en bibliotecas o iban personalmente a las oficinas de *Claridad* para poder leer la historia. Los que tenían el periódico llamaban a parientes y amigos, reunían amistades en sus casas para hacer lecturas, y contaban a todas las personas que veían –amigas o enemigas– los verdaderos sucesos de Seva. Conocemos de un caso en particular, el de una trabajadora social de Río Piedras, que llamó a su esposo abogado a la oficina y le leyó todo el texto por teléfono.

La reacción era fuerte pero confusa. Una mezcla angustiosa de alegría, ira y dolor. Alegría porque al fin se destruía el viejo y odiado mito de nuestra presunta docilidad, de nuestra supuesta entrega abúlica a los conquistadores. Al fin, luego de muchos años de ignorancia histórica, comenzábamos a enterarnos de algunos episodios de nuestra epopeya verdadera y heroica. Ira porque acto tan vil como la Masacre de Seva, y la erradicación total del pueblo por parte de los invasores, no era para menos. Dolor porque nuestro pueblo más valiente, más heroico incluso que Lares, yacía asesinado, sepultado y olvidado bajo los aviones, edificios y cohetes nucleares de la base naval de Roosevelt Roads.

Aunque adoloridos y atónitos ante la noticia de Seva, la acción de muchos puertorriqueños fue inmediata. Hemos confirmado informes de que en Naguabo, Ceiba, Guayanilla, San Sebastián y Río Piedras se organizaron varios comités en cuestión de horas. El primer comité tenía el propósito de encontrar a don Ignacio Martínez, único sobreviviente de la Masacre de Seva. Los de Ceiba, Guayanilla y San Sebastián se proponían excavar en la base naval de Roosevelt Roads como diera lugar, hasta dar con los restos de Seva, "El Pueblo Mártir". El comité de Río Piedras comenzó una colecta para ayudar económicamente a don Ignacio Martínez.

Como una bola de nieve que empieza pequeña y va creciendo según rueda montaña abajo, la reacción de los lectores fue tomando proporciones mayores según pasaban las horas. Tanto así, que un prominente sicólogo se reunió por espacio de cuarenta minutos con el gobernador de Puerto Rico, Carlos Romero Barceló, y le exigió una investigación que diera con el paradero del Dr. Víctor Cabañas. El Gobernador, dados los hechos, se vio en la obligación de estudiar los acontecimientos.

Esta reacción de parte de lectores y de patriotas es admirable, pero había un problema: **Seva** es un cuento, el resultado de una profunda insatisfacción de Luis López Nieves con la historia de Puerto Rico.

El propio periódico *Claridad*, perplejo ante la movilización que había provocado el cuento (esa semana recibió más de cien llamadas diarias que pedían información adicional) se vio en la obligación de publicar un Editorial y una Nota del Director en su siguiente edición del 30 de diciembre. El primero, intitulado "Nuestras Excusas", dice:

"El texto *Seva: Historia de la primera invasión norteamericana de la*

Isla de Puerto Rico ocurrida en mayo de 1898, publicado en la pasada edición de [nuestro suplemento cultural] *En Rojo*, es un cuento.

"El mismo ha causado conmoción y alarma en sectores del país porque sugiere un descubrimiento de gran envergadura histórica. Aunque algunos leyeron el texto como un cuento, parece ser que la mayoría de nuestros lectores pensó que se trataba de un sensacional artículo histórico, producto de una investigación minuciosa y arriesgada.

"Pero se trata de un cuento y nada más que de un cuento producto de la imaginación y la combinación de recursos literarios de su autor, Luis López Nieves".

La nota adicional del Director de *Claridad*, Luis Fernando Coss, explica:

"En nuestras oficinas hemos recibido múltiples llamadas, visitas de profesores universitarios y avisos con terceras personas inquiriendo sobre la autenticidad del texto, su importancia o dónde buscar los documentos (inexistentes) que menciona el cuento".

No fue ésta, sin embargo, la primera ni la única intervención de los medios masivos de comunicación. En las próximas semanas no se quedaría uno de éstos sin hacer un comentario en torno al "Incidente Seva". En la prensa, la radio y la televisión **Seva** daría lugar a una interesante discusión.

LA PRIMERA SEMANA
ANÉCDOTAS

El periodo más crucial fue la primera semana, antes de que el semanario *Claridad* pudiera publicar su nota aclaratoria. La dirección del periódico, consciente de la movilización que tomaba proporciones alarmantes, envió un comunicado de prensa a los diarios del país en el que aclaraba que **Seva** era un cuento; pero éstos decidieron ignorarlo (sería interesante saber por qué).

Cuando nos propusimos escribir esta crónica descriptiva del furor provocado por **Seva**, nunca nos imaginamos el tamaño de la empresa que nos estábamos proponiendo. Ha surgido en torno al cuento todo un anecdotario que amenaza con tomar proporciones folklóricas. En los sectores intelectuales, artísticos, independentistas y académicos del país no hubo otro tema durante esta semana. En fiestas, negocios, librerías y hogares surgían continuamente tertulias y discusiones en torno a la Masacre de Seva. Las actitudes frente al cuento comienzan en la euforia ("Seva es un grito de guerra", dice Ferdinand Quintana, músico de Guayanilla) y llegan hasta la postura puramente racional (un profesor de sicología nos ha informado que uno de sus estudiantes comenzaría pronto una tesis de maestría en torno a las reacciones del cuento). Son tantas las anécdotas, los incidentes interesantes o conmovedores que ocurrieron en estos días, que hemos decidido enumerar brevemente algunos de ellos a continuación:

- Aparecieron varias cruces frente a la base naval de Roosevelt Roads con la inscripción: "¡SEVA VIVE!"

- Esta misma inscripción comenzó a aparecer en distintos baños y sitios públicos, acompañada de otras relacionadas con el mismo tema: "¿Dónde está el Dr. Víctor Cabañas?" y "Salvemos al Dr. Víctor Cabañas de las bombas nucleares enterradas en la base de Roosevelt Roads", son algunos ejemplos de los graffiti relativos a Seva.

- El noticiario de WAPA TV le asignó a la periodista Jennifer Wolfe que se trasladara de inmediato a Washington con la intención de entrevistar a Peggy Ann Miles, la nieta del general Nelson Miles que recibió al Dr. Víctor Cabañas con "galletas, té y palabras muy corteses". (Jennifer nos ha confirmado esto personalmente.)

- Nos confirma el poeta José Manuel Torres Santiago que luego de la aclaración de *Claridad* al efecto de que **Seva** era un cuento, muchos habitantes de Guayanilla y San Sebastián protestaron y rehusaron creerlo. ¡Decían entonces que **Seva** era la realidad y el Editorial la ficción!

- Muchos se resistieron a creer que **Seva** era un cuento y prefirieron quedarse con la versión de Luis López Nieves. Un prominente nacionalista alega conocer a un veterinario que, a su vez, tenía un tío que le hablaba de Seva. "Es Ceiba", le decía el veterinario a su tío. "No", contestaba éste, "yo no hablo de Ceiba sino de Seva". Dicho nacionalista está muy preocupado y asegura que **Seva** es una realidad. Se resiste, por otra parte, a creer que don Ignacio Martínez sea un ente de ficción creado por Luis López Nieves.

• El autor recibió en su casa tres llamadas anónimas en que le decían "que se cuidara" por haber "cogido de bobos a los independentistas". (El autor explica, al final de este trabajo, que esa nunca fue su intención.)

• El cuadro telefónico de *Claridad* estuvo congestionado por más de una semana. A las oficinas del semanario se personaron periodistas, historiadores y otros distinguidos intelectuales, con el propósito de ver los documentos del Dr. Víctor Cabañas y de escuchar los 18 cassettes grabados por don Ignacio Martínez.

• Un fotógrafo muy conocido, momentos después de leer **Seva**, cogió su cámara y se dispuso a salir de inmediato a Naguabo para fotografiar a don Ignacio Martínez. Por suerte llamó antes a un amigo, quien le indicó que **Seva** era un cuento.

• El personal de un conocido taller de tipografía de la capital, conmovido ante la noticia, se constituyó en comité y se puso a la entera disposición del autor para publicar copias masivas de **Seva** y repartirlas entre el pueblo puertorriqueño y el mundo.

• Dos agencias noticiosas norteamericanas, Prensa Unida Internacional y Prensa Asociada, prepararon extensas reseñas del "artículo" para comunicar la noticia al mundo. No llegaron a enviarse. (Nos hemos enterado, aunque no hemos podido confirmarlo, de que Prensa Unida Internacional sí envió su noticia al resto del mundo.)

• Una de las personas que estuvo presente en la fiesta de despedida de año del Lcdo. Juan Mari Bras nos informó que los festejantes se pasaron la noche repitiendo la consigna: "¡SEVA VIVE!"

• Un líder obrero sacó 200 fotocopias del cuento para repartirlas entre sus compañeros de la unión. Otro prominente líder sindical envió varias copias a Venezuela para que un amigo suyo se encargara de divulgar la noticia allá.

• El Director del periódico *La Página de Cheo*, de Vieques, nos informó que en esa isla piensan bautizar un barrio con el nombre "Seva".

• El poeta Jesús Tomé, encargado de la librería La Tertulia, nos informó que por espacio de dos semanas diariamente se creaban tertulias espontáneas en la librería con hasta 20 personas. El tema: **Seva**.

• Miembros del cuerpo de prensa de las Naciones Unidas llamaron desde Nueva York para pedir más información.

• Un prominente abogado compró el libro de Canino citado en el cuento, *El cantar folklórico de Puerto Rico*, y una vez en su casa lo abrió en la página 135 para leer la copla que conmovió al Dr. Víctor Cabañas. Al no encontrarla pasó a la página 145. Luego a la 125,115,105, etc. Así pasó toda la noche, registrando el libro página por página. Finalmente, decidió que su ejemplar tenía erratas imperdonables.

• Al Dr. Marcelino Canino, autor del libro mencionado arriba, llegaron a visitarlo más de diez personas diarias. Algunos lo acusaron de irresponsable por no haberle dado más publicidad a la copla (inexistente) que estremeció al Dr. Víctor Cabañas. Dos visitantes llegaron a decirle que sospechaban que él (Canino) era el verdadero Víctor Cabañas y que había utilizado a Luis López Nieves como un frente para no "calentarse" con las autoridades.

• El Dr. Luis Nieves Falcón, sociólogo, cuenta que los festejantes interrumpieron una fiesta navideña en que se encontraba para hacer una lectura oral de **Seva**. Luego, varios destacados sociólogos e historiadores propusieron la creación de una Comisión que profundizara sobre estos hechos y que exigiera al gobierno una explicación sobre el paradero del Dr. Víctor Cabañas.

• Mensaje dejado anónimamente en la grabadora telefónica que tiene

————primer plano

Cae la mansión Fonalledas

Otra bella mansión del Area Metropolitana acaba de caer derrumbada por los embates de las palas mecánicas, a pesar de las protestas manifiestas y otras silenciosas de ciudadanos que llegaron a admirarlas, y los cuales miran como nuestro pasado histórico se disipa en aras del llamado progreso. Esta vez le tocó a la mansión Fonalledas, que ubicaba en un predio de terreno de 1 cuerda localizada en la Parada 31 y avenida Ponce de León, esquina Duarte en Santurce, la cual desapareció como por arte de magia, sin conocerse las razones para el "sacrilegio", como lo calificó un lector de este periódico en llamada telefónica. ¿Cuál otra seguirá en turno?

Foto publicada por el periódico *El Nuevo Día* el 20 de febrero de 1984.
Nótese el "Seva Vive" pintado en el muro.

el autor en su residencia: "El mundo se ha dividido en dos: o estás con Seva, o pitufo".

• El autor recibió la siguiente nota de un famoso guayanillense que comprendió de inmediato el significado real del cuento: "**Seva** es para mí una realidad de todos los puertorriqueños conscientes, sin importar las posiciones políticas; que pudo pasar o pasó en nuestro pueblo que aún está padeciendo los mismos síntomas del pasado. Pero mientras haya hombres decididos como los de Seva, Puerto Rico tendrá una esperanza firme, de todos los puertorriqueños que creen en los valores que la patria significa para todos. Aunque los que no la merecen tengan beneficios y vengan a llorar por lo que no se han ganado ni se merecen. Pero somos tan Ay Bendito que todo lo perdonamos. Enero 9, 1984". La firma: José Eugenio Rivera Castagnet, "Panchón", barbero de "Las Tijeras de Oro".

• Confirma el poeta José Manuel Torres Santiago que en el colmado "El Popular", de Guayanilla, se llevó a cabo una tertulia de más de ocho personas en torno a **Seva**.

Las anécdotas en torno al "Incidente Seva" son interminables. Sobre todo durante el primer mes, después de la publicación de Seva, se nos hizo difícil conversar con alguien, sobre todo del mundo intelectual–literario, que no tuviera por lo menos una. Hemos descrito las que considerábamos más interesantes.

LA PRENSA, LA TELEVISIÓN, LA RADIO

Como dijimos antes, los medios masivos de comunicación se manifestaron de inmediato en torno a la publicación de **Seva**. A continuación reproducimos algunos comentarios:

• El miércoles, 28 de diciembre de 1983, cinco días después de la aparición del relato, José Antonio "El Profe" Ortiz y su compañero Tomás G. Muñiz, del programa de comentarios "Buenas Noches", del Canal 7 TV, fueron los primeros en manifestar públicamente el entusiasmo que sentían por el texto. Dijo "El Profe", entre otras cosas:

"Anoche me llamaron cuatro o cinco personas comentando el magnífico artículo *Seva: Historia de la primera invasión norteamericana a la Isla de Puerto Rico ocurrida en mayo de 1898.* Claro, como está tan bien presentado y redactado muchas personas creyeron que fue cierto. Este trabajo es extraordinario. Me da la sensación de que nos presenta a un Macondo puertorriqueño, porque el Dr. Víctor Cabañas parece un Aureliano Buendía. Este trabajo publicado por Luis López Nieves es un acierto y yo recomiendo su lectura. Constituye una invitación a indagar en la historia de Puerto Rico, porque **Seva** no está muy lejos de la verdad".

Tomás G. Muñiz, tras comentar que había conocido personalmente al autor, señaló que: "Al leerlo a mí se me pararon los pelos".

- El viernes, 30 de diciembre, el comentarista conocido cariñosamente como "El Profe" comenzó su programa indicando que después de sus comentarios del miércoles anterior había recibido "sobre cincuenta llamadas" pidiéndole que volviera a comentar **Seva**. Decidió, entonces, dedicarle al cuento el programa completo. Felicitó al autor y a *Claridad* por publicarlo y explicó en detalle por qué decía que **Seva** no estaba muy lejos de la verdad.

- Los días 3 y 4 de enero el columnista Pedro Zervigón, del periódico *El Reportero*, hizo una excepción y dedicó dos columnas a **Seva**, intituladas respectivamente: "Seva y la supuesta invasión de mayo del 98" y "Seva: ¿la historia añorada?" En la primera de éstas confirma varias de las anécdotas que hemos contado (véase el Apéndice 2, al final de este libro).

- El 4 de enero de 1984 la periodista radial Jeannette Blasini, de WPAB, Ponce, entrevistó a Luis López Nieves por espacio de una hora y media en su programa de tertulia radial "Estudio 55". En varios programas anteriores ya había comentado el cuento debido al "gran revuelo" que había creado en Ponce: "**Seva** ha causado gran conmoción... Me dicen que la noticia llegó hasta el gobernador

Carlos Romero Barceló y que se le estuvo pidiendo que investigara... **Seva** ha causado tantos problemas..." señaló la periodista.

Una de las personas que llamó por teléfono para comentar el texto, la profesora Norma Piaza, dijo: "**Seva** es un logro. Lo primero que harán mis estudiantes cuando comiencen las clases será estudiar el cuento".

- En una carta que publicó el profesor Adolfo Jiménez Hernández el 6 de enero en el periódico *El Reportero*, dice:

  "Considero desafortunado que un periódico serio como *Claridad* publicase sin advertir al lector una patraña fantástica y pseudoliteraria. El autor traquetea con el episodio más trágico de nuestra historia como lo fue la invasión norteamericana de Puerto Rico para elaborar una engañifa con visos de investigación histórica y que es a la postre una burla y falta de respeto al lector y a la historia... Y todavía es más grave aún que el autor haya hecho expresiones difamatorias a la memoria de don Luis Muñoz Rivera..."

  Tratamos de conseguir el nombre de Luis Muñoz Rivera en el cuento pero se nos hizo imposible localizarlo. El personaje que aparece es Luis M. Rivera.

- El 7 de enero el padre jesuita y profesor de historia Fernando Picó publica la columna "The Uncritical Mind" (La Mentalidad Acrítica) en *The San Juan Star*. Dice el profesor (traducción nuestra):

  "Recientemente, una excepcionalmente bien escrita crónica ficticia de una masacre norteamericana en el pueblo de Seva, al este de Puerto Rico, apareció en la sección literaria de *Claridad*... Muchos lectores se equivocaron y aceptaron el texto como verídico. Se llegó al punto de que profesores de historia compraban copias extras para distribuirlas entre sus colegas...

  "El primer impulso que uno siente es deseos de reírse de la increíble ingenuidad que se requiere para poder confundir semejante ficción con un hecho histórico. Pero todo este asunto está cargado de una triste ironía. Los lectores de *Claridad* probablemente están entre los más sofisticados, mejor informados y más críticos de la isla: catedráticos y estudiantes universitarios, cuadros de la izquierda, abogados, dirigentes obreros, profesionales...

"[El autor quería compartir con nosotros] la verdad que revela toda buena ficción, la verdad sobre nosotros mismos.

"En ese sentido, **Seva** debe compararse con 'Zelig' de Woody Allen."

- El lunes, 9 de enero, el actor, maestro de ceremonias y entrevistador Rafael "Rafo" Muñiz entrevistó al autor en su programa "Latino" del Canal 7 TV. Dijo Muñiz que "López Nieves es un gran escritor, al nivel de García Márquez y Mario Benedetti".

- El 15 de enero el periódico *El Mundo* publicó el artículo "Seva: ¿historia, engaño o concreción de un sueño?", del abogado Marco Rosado Conde (véase el Apéndice 3, al final de este libro).

- También el 15 de enero el diario *The San Juan Star* publica un extenso artículo de Harold Lidin. Aunque no hace referencia directa a **Seva**, es evidente que el artículo es una larga refutación de todo lo que implica el cuento. (El artículo utiliza las mismas ilustraciones de **Seva**: la foto de Miles, la proclama, fotos de época.) Dice Lidin: "El gobierno militar norteamericano en Puerto Rico no duró mucho, pero durante el reinado (sic) de 18 meses los generales Brooke, Henry y Davis establecieron leyes que todavía afectan a Puerto Rico positivamente".

- El 17 de enero el Lcdo. Juan Manuel García Passalacqua, columnista de *The San Juan Star*, publica "The Truth About Americans" (La Verdad Acerca de los Norteamericanos). Después de refutar extensamente la mera posibilidad de que los incidentes de **Seva** pudieran ser ciertos, termina diciendo: "Basta con señalar que ya para el 1866 **Seva** era imposible".

- El 20 de enero *Claridad* publica la siguiente carta de Pablo Hughes, omi, párroco de la Parroquia San Antonio de Padua de Ceiba:
"Te confieso que la primera lectura del relato Seva por Luis López Nieves lo acepté como gran hallazgo histórico. En las próximas lecturas, sin embargo, noté referencias que no cuadraban con mis estudios, datos y entrevistas con algunos ancianos ceibeños que recuerdan todavía

Una de las cruces colocadas frente a la base naval Roosevelt Roads, por desconocidos, pocos días después de la publicación de Seva en *Claridad*.

aquella época de la invasión al pueblo por los norteamericanos (antes el pueblo de Ceiba fue conocido como Seyba).

"El cuento **Seva** está bien escrito, pero más que un invento literario nuestro pueblo merece una historia más estudiada y documentada. Quizás con los datos históricos incluidos en esta carta un autor tan competente como el Sr. Luis López Nieves podría escribir una historia sobre nuestro querido pueblo de Ceiba o Seyba o Seva o lo que sea!..."

(El mismo día que leyó la carta, Luis López Nieves llamó por teléfono al padre Pablo para agradecerle su amable carta. En el transcurso de la conversación, el Párroco le dijo al autor que había revisado las actas bautismales de Ceiba y no había encontrado el apellido "Martínez". Hizo, entonces, una sugerencia: "Te recomiendo que, para mayor credibilidad, cambies el apellido de don Ignacio y lo llames Ignacio Medina. Medina es un apellido antiguo y distinguido en Ceiba".)

• El primero de febrero, pocos días antes de que termináramos esta crónica, la revista *Borinquen Gráfico* publica la columna intitulada "Puerto Rico: Cementerio de la acrobacia", en la cual su autor termina diciendo:

"Lo real nos resulta difícil de creer y aceptar. La ficción por el contrario puede fácilmente tomarse como verdadera. ¿De qué otra manera puede explicarse el que un truco publicitario del autor de *Seva: la verdadera historia de la Invasión norteamericana en 1898*, haya provocado tanto revuelo, aclaraciones y contraaclaraciones mayormente del sector denominado la inteligencia del país?"

OPINIONES

Dado el impacto que tuvo el cuento **Seva**, el cual hemos documentado extensamente en estas páginas, decidimos entrevistar a varios intelectuales y artistas y registrar las opiniones de éstos en torno al texto:

• **Emilio Díaz Valcárcel** (escritor): "Mientras paseaba cerca de Ceiba decidí preguntar a un grupo de personas dónde quedaba Seva y éstos me contestaron de inmediato 'Usted está equivocado, el nombre correcto es Ceiba'". Díaz Valcárcel no pudo ocultar su asombro al recordar una de las "excelentes recomendaciones" de Luis M. Rivera al general Nelson Miles. Ya que la gente de los pueblos podría echar de menos al pueblo de Seva, y para evitar que en el futuro pudieran encontrarse siquiera las cenizas del pueblo, Luis M. Rivera recomendaba que tanto la base como el pueblo fueran bautizados con el nombre de "Ceiba". "De esta manera –decía Luis M. Rivera– si alguien pregunta por Seva se le responderá: Usted se equivoca, el nombre correcto es Ceiba".

"Yo creo que este cuento de Luis López Nieves es excelente, es una verdadera miniepopeya puertorriqueña. Por otra parte, siempre tiene que haber un elemento de provocación en la literatura, por eso estuvo muy bien que no se le pusiera la etiqueta de 'cuento'", concluyó el escritor puertorriqueño.

* **José Manuel Torres Santiago** (poeta): "**Seva**, de Luis López Nieves, se ha convertido hoy por hoy en el cuento más creíble de la literatura puertorriqueña. Pocos de nuestros autores han tenido la dicha de convertirse de la noche a la mañana, con una pieza literaria, en *vox populi...* Desde el corrillo literario más sofisticado y conocedor de las artes de la imaginación hasta el cafetín y el ventorrillo de pueblo donde el hombre común sacia su pena o su alegría, he comprobado que esta pieza literaria ha sido algo espectacular.

"Pero de eso se trata, del espectáculo de la invasión yankee que todavía no acabamos de comprender. **Seva** es la verdad de todos –y cada uno– de los puertorriqueños, sin importar las ideas que ondeen, esgriman o posean. **Seva** somos nosotros: un pueblo verdadero sobre el cual vive uno falso.

"La imaginación de Luis López Nieves así lo ha definido. Vivimos en la falsedad. **Seva** es la conciencia, el alma, la raíz que nos ha ocultado la invasión norteamericana. Quien se crea que López Nieves nos ha cogido de tontos es un ignorante que olvida y evade eso mismo. Cómo nos han cogido de tontos a través de nuestra historia: destruyendo lo que hemos sido (y somos), enmascarándonos, cultivando el olvido, desmemoriándonos, sumiéndonos en la embriaguez de la superficialidad y en los sueños de los paraísos artificiales. **Seva** es la verdad de lo que somos: la verdadera historia del heroísmo puertorriqueño".

- **Isabelo Zenón Cruz** (profesor y autor de *Narciso descubre su trasero*): "Lo cierto es que es un cuento muy bueno. Lo que me extraña es que, con tantas claves como tiene el cuento, tantos historiadores lo hayan creído. ¿Qué clase de historiadores son éstos? ¿Cómo pueden creer que Peggy Ann Miles iba a permitirle a un puertorriqueño desconocido que pasara tantos días rebuscando el archivo personal de su abuelo? ¿O que el Dr. Víctor Cabañas robara con tanta facilidad los originales del Diario y un mapa tan valioso en Galicia? Ningún historiador serio cae en esa trampa, aunque debo admitir que cuando lo leí ya sabía que era un cuento.

  "Por otro lado, en aquella época era imposible que se diera tal resistencia frente a los norteamericanos porque éstos representaban a los salvadores. Eran, para decirlo así, los que pondrían fin al colonialismo español. Resulta imposible, además, que en **Seva** se diera una unidad como la que se dio para detener la invasión de 2,000 tropas, porque en toda colonia siempre hay quienes defienden la otra colonia.

  "La necesidad de tener héroes llevó a muchos a creerse los acontecimientos de **Seva**. Cuando leyeron el cuento se entusiasmaron y esto llevó a la mitificación. La ceguera de este pueblo no le permite ver que todavía andan por ahí personas como Lolita Lebrón y muchos otros patriotas puertorriqueños. Entonces, un acontecimiento como el de **Seva** es suficiente para crear héroes. Pero, claro, tenemos que romper con el mito de que este pueblo no resiste. Si no resistiéramos hace muchos años que fuéramos un estado federado norteamericano.

  "En cuanto al asunto de la etiquetas, yo no creo que el artista deba poner etiquetas a lo que hace porque de lo contrario nos vamos a parecer a aquel pintor famoso que pintaba un gallo y luego escribía abajo: 'Esto es un gallo'".

- **Dr. José Luis Méndez** (Decano de Ciencias Sociales de la Universidad de Puerto Rico, sociólogo de la literatura): "Estas reacciones en torno a **Seva** se dan porque este pueblo está acostumbrado a descubrir mentiras oficiales. Es decir, casos como el del Cerro Maravilla, la corrupción gubernamental, etc. Como parte de su proceso de resistencia cultural, se ha dado cuenta de que nos engañan con los acontecimientos históricos. Comprendimos que Jorge Washington era un embustero y que había otras falsedades históricas.

"En este momento la gente está más receptiva a evaluar verdades no cuestionadas antes. **Seva** llega a un mundo de búsqueda y desconfianza, porque la gente está abierta a cuestionar la historia".

- **Juan Antonio Torres** (profesor, crítico literario): "El cuento me pareció fascinante. Pero también me llenaron de asombro las reacciones que oía en la farmacia, de parte de mis amigos y en la calle. Un amigo mío, que tiene cierto parecido físico con Luis, caminaba conmigo cuando una señora, desde un balcón en un segundo piso, lo vio. Pensando que era Luis, cogió un tiesto y le gritó: 'Mira, te voy a tirar con esto porque me cogiste de boba'. Por eso decidí organizar una tertulia en mi casa. Invité a Luis y más o menos regué la voz, pero vinieron más de 50 personas: un grupo heterogéneo de estudiantes, escritores, educadores, sociólogos, profesores, etc. La casa se llenó completa y algunos estaban asomados por las ventanas. Vinieron, incluso, personas que yo no conocía.

"Sentado en medio del grupo, Luis pasó a hacer un resumen del cuento. Luego se inició una discusión feroz. Todo el mundo quería hablar a la vez. La poeta María Arrillaga felicitó al autor e inmediatamente hizo una exposición sobre la libertad que debe poseer el creador para utilizar incluso la distorsión histórica. El poeta José Manuel Torres Santiago asumió una posición firme al señalar que **Seva** había estado presente siempre en la historia de Puerto Rico porque 'este país ha sido masacrado por el imperialismo norteamericano'.

"El profesor Lausell explicó que él lo había creído porque en esos días había estado leyendo sobre las masacres que llevaron a cabo los norteamericanos durante la guerra hispano–americana en las Filipinas. Un estudiante se quejó de que le había mostrado el cuento a sus padres como evidencia de las atrocidades de que eran capaces los norteamericanos, pero luego había quedado mal parado al saberse que se trataba de un cuento. Lo que me estuvo muy curioso fue el comentario de un planificador urbano, el Dr. Rafael

Ramírez. Dijo que Dewey, el pueblo principal de la isla de Culebra, no es sino un trozo remanente del pueblo original: San Idelfonso. Añadió que el resto de este pueblo antiguo, la parte que ya no existe, se encuentra debajo de la base naval de esta isla. Por eso el pueblo actual, Dewey, tiene una configuración extraña, artificial.

"Otro momento importante de la tertulia fue cuando alguien recordó las palabras del filósofo Nietzsche al efecto de que si Dios no hubiera existido, habría que inventarlo, porque era una necesidad. Dijo entonces que ese era el caso de **Seva**. Como no existía, pues hubo que inventarlo.

"Manuel Ramos Otero me dijo, en otra ocasión, que **Seva** se escribió en una ambientación de la literatura de la crueldad. Dijo que los escritores tienen que ser crueles para llegar al lector.

"De mi parte, yo creo que **Seva** es un cuento extraordinario y por eso lo asigné este mismo semestre a mis estudiantes".

- **Joserramón Melcndes** (pocta). Che Melendes nos entregó sus comentarios por escrito. Respetamos, pues, su escritura particular: "El jénero que **Seva** asume no solisita aser una crítica estilística, de uso de los recursos de la lengua, retórica tradisional a primera mano; se propone en una estética del espeqtáculo, efegtista, del jápenin. Así creo ai qe medir el balor de este colách apócrifo, como en el arte consebtual. I no es símil la relasión con la pigtórica. Jápenin y arte conesbtual son respuesta a la nesesidá de recuperar el contesto sosial qe el museo (de marfil) usurpara por algunos siglos: 'ambiente' es otro término usual en las artes bisuales de oi, más ilustrador que los anteriores. Asimismo **Seva**, como los marsianos de Orson Wells, quiere primero colocarse en la difusión qe cualificarse en la tradisión (literaria). Como sea, me parese gustoso qe la literatura alcanse una respuesta tan masiba inmediata. Propone sierta presensia, sierta 'utilidá' perdida por los escritores.

"Otra cosa son las causas del reperpero, pero igual de gustosas: Qe el orguyo nasional se exalte con un triunfo, qiere desir qe se tiene; o qe una 'correxión' de la memoria ofisial nos recupere, es esperansador. Como simulacro, **Seva** adbierte lo qe será el despertar berdadero cuando destapemos la istoria colonial de las sábanas tendidas para el sueño. El sueño malo, qiero desir, el despertar bueno. A los que se desebsionaron con el tréinin, ni siqiera sospechan el susto que se yebarán con el ebento".

- Por otra parte, nos cuenta **Luis López Nieves** lo siguiente: "El viernes, 30 de diciembre, un amigo me invitó a la fiesta de los integrantes de Teatro del Sesenta, en casa de la gran actriz Idalia Pérez Garay. De una manera casi fortuita se enteraron en la fiesta que yo había escrito **Seva**. Se me acercó, entonces, Roberto Ramos Perea, considerado por los críticos, y por mí, como uno de los pocos dramaturgos excelentes de su generación. A quemarropa me dijo que él llevaba una semana escribiendo una obra teatral basada en la odisea de mi amigo Víctor Cabañas. (Roberto acostumbra escribir sobre hechos históricos.) Dijo que ya tenía algunas escenas y el bosquejo general, pero que esa misma noche, antes de ir a la fiesta, habla leído el Editorial de *Claridad* y se había enterado de que se trataba de un cuento.

"Tuvimos entonces una larga conversación que duró toda la noche y continúa aún, porque nos hemos hecho amigos. Él decidió, luego de recibir mi autorización, que continuaría escribiendo la obra porque: 'Ya **Seva** se ha convertido en un mito puertorriqueño'. Aunque no puedo ser muy objetivo por razones evidentes, porque se trata de llevar a las tablas a una criatura mía que tanto amo, lo cierto es que le deseo mucha suerte y estoy seguro de que tendrá éxito".

EL AUTOR

Luis López Nieves, autor de Seva: *Historia de la primera invasión norteamericana de la Isla de Puerto Rico ocurrida en mayo de 1898*, es un puertorriqueño nacido el 17 de enero de 1950. Se dedica al cultivo del cuento y de la novela. Ha publicado cuentos en periódicos y revistas del país y del extranjero, y pronto piensa entregar a la imprenta su primera novela, escrita hace cuatro años: *La felicidad excesiva de Alejandro Príncipe*. **Seva** es su primer libro.*

* Desde la publicación de **Seva** en el 1984, Luis López Nieves ha publicado tres libros adicionales, todos disponibles en el Grupo Editorial Norma: *Escribir para Rafa*, *La verdadera muerte de Juan Ponce de León* y *El corazón de Voltaire*. Para información sobre López Nieves, favor de visitar la página electrónica www.ciudadseva.com, en internet.

Estudió el Bachillerato (licenciatura) en Estudios Generales en la Universidad de Puerto Rico en Río Piedras. En la Universidad del Estado de Nueva York en Stony Brook estudió la Maestría en Estudios Hispánicos y se doctoró en Literatura Comparada. Actualmente trabaja como profesor de literatura y comunicación.

Fue en Nueva York, precisamente, donde nació **Seva** hace unos siete u ocho años. Durante una de sus largas noches de estudios doctorales Luis López Nieves sintió de pronto una gran tristeza. Llevaba varias semanas sumido en el estudio de "la deslumbrante y maravillosa épica española" cuando de golpe comprendió cuál era la causa de su nostalgia: echaba de menos una epopeya puertorriqueña. Esta tristeza ya no lo abandonaría y, tal vez para deshacerse de ella, a los pocos meses tomó una seria determinación: ya que no existía (o no se conocía) una gloriosa y potente epopeya que "me emocionara y llenara de orgullo", sólo quedaba una cosa por hacer: inventarla. En esos mismos días escribió el primer borrador de **Seva**, pero al terminarlo no se sintió satisfecho y lo guardó. Pasó, sin embargo, a ser una obsesión. Había decidido que en adelante rescribiría la historia de Puerto Rico "como debió ser, como pudo ser o como yo quiero que sea".

Hace poco más de un año, luego de "mucho tiempo rescribiéndolo en mi mente", se sentó por fin a darle forma final. "Creo que influyeron dos factores principales", señala López Nieves: "La investigación en torno a los crímenes del Cerro Maravilla y el libro sobre las revueltas de esclavos en Puerto Rico. Una fuerte intuición me dijo que éste era el momento para publicar **Seva**, porque es obvio que los puertorriqueños ya no nos creemos lo que nos han dicho oficialmente toda la vida. Ahora sabemos que no somos dóciles e impotentes y es obvio, por tanto, que necesitamos una literatura que evidencie esta nueva forma de vernos a nosotros mismos".

Lo que Luis López Nieves nunca previó fue que miles de lectores de su cuento iban a tomarlo al pie de la letra. Al conocerse que **Seva** era un cuento muchas personas (aunque la minoría) reaccionaron violentamente y pensaron que López Nieves les había tomado el pelo. Dice el autor: "Han dicho que jugué con el 'sentimiento patrio', que me burlé. Nada más lejos de la realidad. Todo lo contrario: ¡este cuento, para mí, es casi sagrado! No hay una sola palabra en contra de la puertorriqueñidad. Lo que sucede es que he leído tanta literatura, tanta historia, que se me han confundido y ya no puedo, ni quiero, diferenciar cuál es cuál. Intenté, entonces, crear una leyenda tan admirable como la Numancia de los españoles, como la Troya de los antiguos o como la Playa Girón de los cubanos de hoy. **Seva** es una celebración, una apoteosis de la puertorriqueñidad viva e indócil. Esto es muy obvio. El que vea otra cosa, o una burla, en el texto, simplemente no sabe leer o está atrofiado".

Naturalmente, Luis López Nieves lamenta que algunas personas afines a él se hayan sentido ofendidos. "No quise crearle inconvenientes a nadie, y mucho menos al periódico *Claridad*. Pero tampoco voy a pasar el resto de mi vida explicando que sólo usé un viejo recurso literario. El escritor, embustero de profesión, siempre ha intentado pasar gato por liebre. El más grande miembro del gremio, Miguel de Cervantes, alegó que *El Quijote* era la traducción de unos manuscritos árabes. Quise inventar una leyenda, un mito, y compartir la emoción de ésta con los lectores. De hecho, mi amigo el periodista Ismaro Velázquez, cuando dirigía *El Reportero*, estuvo dispuesto a publicar **Seva** como yo lo quería: sin la 'etiqueta de cuento'. Ya tenía, incluso, la fecha de publicación. Pero en esos días surgió algún lío y renunció al periódico.

"Yo no quiero ser como el pintor que ha mencionado Zenón, que debajo del cuadro de un gallo escribía 'Esto es un gallo'. Marco Rosado Conde, en su acertadísima y lapidaria columna aparecida el 15 de enero en el periódico *El Mundo*, mostró haber entendido perfectamente el cuento y el propósito mío al publicarlo. Él lo ha analizado tan claramente que yo no podría añadir otra cosa. El que sí podía añadir, y añadió, es el magnífico poeta José Manuel Torres Santiago. Lo hizo en los poemas que le ha escrito a los habitantes de Seva y a mis queridos amigos don Ignacio Martínez y Víctor Cabañas. Me gustaron tanto que decidí publicarlos junto al cuento" (véase el Apéndice 1, al final de este libro).

Al señalarle al autor que muchas personas nos han comentado que quisieran leer más sobre **Seva**, nos contesta:

"Llevo varios meses transcribiendo los 18 cassettes que grabó don Ignacio Martínez. Es una labor titánica porque cada cassette es de hora y media, para un total de 27 horas. Una vez termine la transcripción deberé sentarme con calma a editarla, y luego a documentar lo dicho allí, porque don Ignacio Martínez (a quien visito regularmente) ya tiene 95 años, está enfermo y no puede ayudarme. Francamente, yo preferiría dejarle esta labor a otra persona, a un buen historiador, porque mi personalidad no se presta para la investigación minuciosa. Pero lo hago por mi querido amigo, el desaparecido Víctor Cabañas, quien sí ha demostrado, más allá de toda duda, ser el más grande historiador que Puerto Rico haya dado jamás. Tan pronto termine el manuscrito, lo publicaré bajo el título *Seva II: El testimonio de don Ignacio Martínez*".

Aún es prematuro opinar sobre las consecuencias de **Seva**. Pero una cosa parece obvia: un hecho histórico, bien escrito literariamente, es capaz de provocar en sus lectores reacciones y confusiones similares a las que provocó la muerte de tres mil obreros en la plaza de Macondo. Dice Gabriel García Márquez: "Lo que te digo es que esta historia la conocí yo diez años después y cuando encontraba gente alguna me decía que sí era cierto, y otros que no era cierto. Había los que decían: 'Yo estaba, y sé que no hubo muertos; la gente se retiró pacíficamente y no sucedió absolutamente nada' y otros decían que sí, que sí hubo muertos, que ellos los vieron; que se murió un tío, e insistían en estas cosas... Lo que pasa es que en América Latina, por decreto se olvida un acontecimiento como tres mil muertos..."

Gracias a la labor realizada por el desaparecido doctor Víctor Cabañas, el 23 de diciembre de 1983 marcó un hito en la historia de la patria puertorriqueña. Ese día el pueblo de Puerto Rico, como si despertara de una larga pesadilla de casi un siglo, empezó a hablar de "antes de **Seva** y después de **Seva**" y a repetir con orgullo la consigna "¡SEVA VIVE!"

APÉNDICE I

POEMAS

Por
José Manuel Torres Santiago

SEIS DE SEVA

Según cuenta la leyenda
allá en dormidas entrañas
yacen dolidas hazañas
que no estaban en agenda
y que la pluma tremenda
de Luis López derramó
en cartas que le mandó
aquel gran sabio y doctor
que de la historia el motor
de un sueño movilizó

Fue así que Seva nació
como pueblo legendario
escondido en un diario
que a la luz amaneció
diciendo cómo ocurrió
en Mayo aquella invasión
que enterrara una nación
de boricuas impetuosos
que a los intrusos monstruosos
resistieran con pasión

Seva fue el primer albor
nadie lo puede negar
si no váyase a buscar

la luz de su resplandor
pues fue rosa del amor
de un mito de patria ausente
que nos llega de repente
porque nunca lo supimos
cómo fue que renacimos
de la invasión inclemente

Cuando Miles vil masacraba
un niñito gacho huía
y en Luquillo se escondía
mientras Seva se enterraba
pero una copla guardaba
el secreto de su estrella
y la increíble epopeya
fue el cimarrón develando
poco a poco y reventando
la verdad de una centella

Según Ignacio Martínez
narró a don Víctor Cabañas
entre malezas y cañas
se resistió a los delfines
y en Seva los paladines
del honor y la verdad
dijeron la libertad
nueva Numancia seremos
mataréis mas venceremos
con fuerza de voluntad

Nació Seva en el saber
por voz de Víctor Cabañas
y los picos y las montañas
quisieron amanecer
en el verde frutecer
de la ciudad enterrada
que de la patria morada

del amor nos defendía
porque en Seva nos nacía
la libertad añorada

Enero de 1984
Guayanilla, Puerto Rico

EL GACHITO DE SEVA

Déjenme contar
la historia de un niño
que no vio el cariño
ni pudo llorar
porque en el azar
se dio su vivir
cuando vio morir
a padres y hermanos
sus montes y llanos
antes de partir

De Seva salió
Ignacio el gachito
un negro niñito
que a la selva huyó
la muerte burló
no fue masacrado
cuando Miles malvado
sitió a los de Seva
antes que en la gleba
sellara su hado

Creció en cimarrón
su largo castigo
como fiel testigo
de aquella invasión
conocía la acción
de Seva inmortal

y el valor total
de sus pobladores
y a los malhechores
del crimen letal

Sufrió soledades
y persecuciones
por los farallones
y las vecindades
mil calamidades
Nachito pasó
según relató
don Víctor Cabañas
cuando las entrañas
de Seva encontró

No tuvo esperanza
ni tuvo alegría
ni noche ni día
de suave balanza
pues la dura lanza
de Miles lo buscaba
quien la orden daba
maten al negrito
que el tiempo es finito
y Seva se acaba

Nachito saltó
de alcor en alcor
y el rudo fragor
del yanqui evadió
y en su ser creció
de Seva la gloria
y su fiel memoria
los muy fieles hechos
y los bravos pechos
de la otra historia

Sin querer fue Homero
y sin ser esteta
nos grabó completa
la luz de un lucero
que en Seva pionero
de una epifanía
nos anunciaría
del mito la historia
página de gloria
que amanecería

Su oreja ocultando
y siempre en alerta
fue de puerta en puerta
un día esperando
para relatando
decir verdadera
la invasión primera
que ocurriera en Mayo
cuando en Seva el rayo
la muerte trajera

Ignacio Martínez
las gracias te doy
porque ya me voy
hacia otros confines
di a tus paladines
que alumbra la estrella
y que sola y bella
se está despertando
y el fuego cuajando
contra la centella

21, 22 y 23 de enero de 1984
Guayanilla, Puerto Rico

LUIS LÓPEZ NIEVES

HISTORIA DE SEVA
(AGUINALDO DE CUATRO PALABRAS)

Música: Ferdinand Quintana

Don Víctor Cabañas
se fue a investigar
y al pueblo de Seva
fue a desenterrar.

Nadie lo sabía
ni sabios ni genios
que Seva existía
allá en el subsuelo.

Don Víctor Cabañas
se fue a los archivos
a arrancar la historia
que se había escondido.

Estando en Galicia
descubrió el sentido
del pueblo de Seva
que se había perdido.

Ignacio Martínez
siendo muy niñito
escapó de Seva
y se fue a Luquillo.

Vivió en cimarrón
larga soledad
con su oreja gacha
la dura verdad.

Pasaron los tiempos
de pena y maldad
pero Seva vino
con la realidad.

Seva

Canción trádicional
por: Ferdinand Quintana
(Letra: J. M. Torres Santiago)

Nota: Se puede cambiar el estilo, siempre y cuando se preserve la melodía como está. (Ej. estirar notas a acortarlas)

Contó cómo en Seva
el pueblo luchó
cuando en Mayo
vino aquel invasor.

Contó el heroísmo
y cómo murió
masacrado en Seva
un pueblo de honor.

Pronto me despido
y pregunto yo
dónde está don Víctor
si vive o murió.

LOS HÉROES DE SEVA

Ni los doce pares
de Francia señores
ni a Troya en amores
con sus avatares,
ni en otros lugares
pasó lo que en Seva,
que héroes de la gleba
fueron masacrados
y a la tumba echados
de una oscura cueva.

Nadie lo sabía,
que en Seva, señores,
en patrias labores
el honor vivía;
una estrella ardía
en la vecindad
que la libertad

tenía por cielo
y en el suave suelo
su gran dignidad.

Juan el pescador,
don Cheo el herrero,
Luyando el cochero,
Martín el cantor
plantaron valor
de Seva el principio
y en el precipicio
de aquella invasión
el fiel corazón
en el sacrificio.

La nana Juanita
cosió la bandera,
que de Seva era
la honra infinita.
Rosa y Margarita
los fuegos alzaron,
y así conminaron
a los sevaeños
en patrios empeños
cuando a Miles* retaron.

Fueron los primeros
héroes de la luz
que en Seva la cruz
de amores sinceros
volvieron luceros
del cielo infinito
porque al lar bendito
la sangre subieron
cuando resistieron
al gringo maldito.

---

* El nombre Miles constituye un monosílabo fonético, así: "Mails".

Román Texidor
y Petra Rosado
en un acto osado
de fe y pundonor
frente el invasor
guerrilla formaron
y a luchar se echaron
con sus siete hijos
y allá en sus cortijos
su vida inmolaron.

Miguel y Leonor
las armas tomaron
y al campo se echaron
con su prole en flor;
morir con honor
se oyó que decían
mientras resistían
en feroz pelea,
y en Seva la idea
de amor definían.

Con picos y palas,
piedras y cuchillos,
palos y perrillos
peleaban las balas,
y las verdes talas
de fuego prendían,
y así resistían
voraces empeños
de aquellos norteños
que a Seva invadían.

Lo demás fue horror
según el relato,
dolor y maltrato
y el brutal terror

ante el puro amor
de un pueblo increíble
que hizo lo imposible
de tanto que amaba
que aun muerto gritaba:
Seva es invencible.

Hoy lo testifico,
pueblo borinqueño
cómo el sevaeño
salvó a Puerto Rico,
el grande y el chico,
mujeres y ancianos
a los inhumanos
y rubios atilas,
les cerraron filas
en montes y llanos.

30 de enero y 5 de febrero de 1984

LA PASIÓN DE SEVA

Aquí fue pasión
de amor a la tierra.
Vamos a la guerra
contra la invasión.
El vil eslabón
no permitiremos.
A Seva debemos
nuestra dignidad.
Esta es la heredad
y aquí moriremos.

Cuando Miles* sitiaba
con sus capitanes,

---

* El nombre Miles constituye un monosílabo fonético, así: "Mails".

en Seva los manes
el pueblo invocaba,
y así convocaba
de amor la nación,
y a la rebelión
la patria semilla
contra la pandilla
de aquella invasión.

La guerrilla andaba
montes y praderas,
y a las rubias fieras
de Miles* atacaba;
el pecho sacaba
Pedro el cimarrón,
y el pueblo en pasión
el lar defendía
y muerto caía
por la redención.

Negros y mulatos,
claros y mestizos,
vieron los erizos
de Judas Pilatos,
cuando sucios tratos
en vil madriguera,
el traidor Rivera
del yanqui firmaba
y a Seva entregaba
a arder en la hoguera.

Febrero de 1984

---

* El nombre Miles constituye un monosílabo fonético, así: "Mails".

APÉNDICE 2

SEVA Y LA SUPUESTA INVASIÓN DE MAYO DEL 98

SEVA: ¿LA HISTORIA AÑORADA?

Por
Pedro Zervigón

SEVA Y LA SUPUESTA
INVASIÓN DE MAYO DEL 98*

¿Dónde está mi amigo Víctor Cabañas? He esperado más de dos años antes de sacar estos documentos a la luz pública porque no he querido ponerlo en peligro. Pero ya no tengo paciencia. Víctor ha cumplido su misión heroicamente. ¡Hoy, al leer estas páginas, el pueblo de Puerto Rico se ha enterado, al fin, de los sucesos que culminaron en la MASACRE DE SEVA! Ahora le corresponde al gobierno explicar: ¿Dónde está el doctor Víctor Cabañas?

Numerosos historiadores llamaron a *Claridad* indagando por más detalles.

El cuadro telefónico del semanario del PSP estuvo diariamente congestionado por personas que procuraban más información sobre los acontecimientos del 98.

Un canal de televisión le comisionó a un reportero y un camarógrafo que hicieran un reportaje sobre los "descubrimientos".

Un diario le encargó a un fotógrafo y un reportero que viajaran a Ceiba para profundizar en los sucesos.

Dos agencias noticiosas prepararon extensos reportes para consumo internacional ofreciendo la noticia al mundo, que afortunadamente no llegaron a ser enviados.

---

* *El Reportero*, 3 de enero de 1984, p. 23.

Se organizaron comités de ciudadanos en Ceiba y Naguabo para buscar las ruinas de Seva en la base naval Roosevelt Roads y para encontrar a don Ignacio Martínez, el único sobreviviente de la "masacre", identificable por faltarle su oreja izquierda.

Letreros de "Seva vive" comenzaron a aparecer en el municipio de Ceiba en los alrededores de la base militar norteamericana.

Cientos de copias del artículo fueron distribuidas en diversas partes de Puerto Rico por personas que se estremecieron con los acontecimientos históricos que se narraban en el trabajo.

Las líneas telefónicas internacionales dieron paso a voces que querían relatar los "hallazgos" a puertorriqueños residentes en el exterior.

Hasta el propio Gobernador hizo un alto en sus labores diarias para recibir la información y meditó sobre sus consecuencias a corto y a largo plazo.

"Seva: Historia de la primera invasión norteamericana de la isla de Puerto Rico ocurrida en mayo de 1898" trascendió a lo largo y ancho del país e hizo un paréntesis en los festejos navideños de muchísimas personas que supieron directa o indirectamente de las asombrosas "revelaciones".

Es increíble lo que un texto literario escrito con imaginación y gran dominio del idioma puede producir.

Cuando mi amigo Luis López Nieves me lo leyó hace meses, interrumpí su lectura y le pregunté, ansioso: "¿son ciertos los hechos que estás narrando?"

A pesar de la relación de amistad que me une al escritor, de conocer su afición por la ficción literaria y haber leído su novela inédita *La felicidad excesiva de Alejandro Príncipe* y muchos de sus cuentos, de momento olvidé su condición de creador y me envolví en los acontecimientos que, de haber sido ciertos, habrían cambiando dramáticamente la historia puertorriqueña.

De inmediato recordé lo ocurrido en 1938.

"Les hablo desde el techo del Broadcasting Building de Nueva York. Los marcianos se acercan. Créese que en las últimas dos horas tres millones de personas hayan abandonado la ciudad por las calles que van al norte. Eviten los puentes de Long Island: están terriblemente llenos de gente... Todas las comunicaciones con Nueva York han sido interrumpidas hace diez minutos. No existen ya defensas. Nuestro ejército está ya destruido. Esta puede ser la última transmisión.

Permaneceremos aquí hasta el fin. Las máquinas volantes de los marcianos están aterrizando en todo el país. Una en la periferia de Buffalo, otra en Chicago y otra más en San Luis. Veo humo. Mucho humo negro. También la gente en las calles lo está viendo. Todos corren hasta el East Side. Son millares y caen como ratones. El humo ha llegado a Times Square. Está atravesando la Sexta Avenida, la Quinta... Ahora está a cien metros de mí... a quince...”

Y se oía un suspiro seguido por un gemido, el ruido sofocado de un cuerpo que cae y el rodar del micrófono por el suelo.

Fue la noche del pánico en los Estados Unidos, cuando más de un millón de personas se lanzaron aterrorizadas a la calle tratando desesperadamente de ponerse a salvo con sus familiares en todo tipo de vehículos o a pie.

Aquella fue la transmisión de mayor impacto en la historia de la radio.

Orson Welles no había previsto la conmoción general que produciría aquella adaptación radial de la obra de H.G. Wells.

“La CBS y las estaciones afiliadas les presentan a Orson Welles y el Mercury Theater del Aire en ‘La guerra de los mundos’ de Herbert George Wells”, decía la sobria presentación del programa que no fue escuchada por muchos radioyentes que sintonizaron tardíamente la transmisión.

Eran los días de la crisis de Munich, vísperas del comienzo de la Segunda Guerra Mundial, y los nervios de los norteamericanos estaban tensos al calor de los artículos que se publicaban diariamente en la prensa para preparar al público para el desastre inminente.

En todas partes del país hubo desmayos y la gente huía de sus casas para refugiarse en bosques y campos pasando la noche a la intemperie. Las carreteras comenzaron a llenarse de automóviles y camiones cargados de muebles, maletas y familias enteras. Las estaciones de policía, los hospitales y las iglesias se llenaron de personas que buscaban refugio ante la “invasión de los marcianos”.

Aunque “Seva: Historia de la primera invasión norteamericana de la isla de Puerto Rico ocurrida en mayo de 1898” no ocasionó reacciones de esa magnitud, la publicación del relato provocó grandes repercusiones que ameritan ser comentadas en mi columna de mañana.

SEVA: ¿LA HISTORIA AÑORADA?*

Para los que no tuvieron la oportunidad de leer "Seva: Historia de la primera invasión norteamericana de la isla de Puerto Rico ocurrida en mayo de 1898", es conveniente hacer un resumen del relato. El autor comienza señalando que después de tomar las debidas precauciones que garanticen su seguridad personal ha decidido difundir los resultados de la investigación realizada por el historiador Víctor Cabañas en torno a la "primera invasión norteamericana" de Puerto Rico, varios meses antes de la ocurrida por Guánica el 25 de julio de 1898.

A través de una serie de supuestos documentos, entre los que se incluyen cartas–diario del supuesto Dr. Cabañas, páginas del diario del general Nelson Miles y un afidávit firmado por el único sobreviviente de los sucesos, el autor relata lo que parece ser una heroica resistencia de los pobladores de Seva contra los invasores y el exterminio de aquéllos por refuerzos llegados después de las primeras escaramuzas.

Para borrar de la historia esa mancha ignominiosa que significa el exterminio masivo de todos los pobladores de una comunidad, incluyendo ancianos, mujeres y niños, se eliminó todo vestigio de la existencia de la población y se estableció sobre los escombros del pueblo una base militar, creándose en las cercanías otro pueblo al que se nombró Ceiba, para confundir a los que recordaban el poblado de Seva, alterándose los mapas existentes y confundiendo de esa manera a los residentes de sectores cercanos sobre la existencia anterior de la pequeña comunidad, fundada poco antes de los acontecimientos por lo que "apenas había tenido tiempo de aparecer en los pocos periódicos del país o en los libros de historia".

El supuesto historiador Víctor Cabañas parte de una copla que se atribuye a un libro de Marcelino Canino ("los americanos llegaron en mayo"), tras lo cual recorre el Archivo Nacional, la Biblioteca de las Fuerzas Armadas de los Estados Unidos, la residencia de la nieta del general Miles, una biblioteca de Galicia y los campos de Luquillo, Naguabo, Ceiba, Río Grande, Fajardo y Canóvanas en su afán de dar con la verdad, escamoteada durante casi un siglo.

Finalmente el protagonista encuentra al único sobreviviente del

---

* *El Reportero*, 4 de enero de 1984, p. 19.

poblado de Seva, el niño al que le faltaba la oreja izquierda que ahora es un anciano de 92 años que vive en el barrio El Duque de Naguabo, el que después de vencer el temor arrastrado desde la niñez, le confiesa toda la verdad de lo ocurrido 83 años antes.

La última carta del historiador eje del relato data de agosto de 1981, tras la cual desaparece misteriosamente, no sin antes haber anunciado que excavaría hasta hallar las ruinas de Seva.

¿Cómo es posible que un relato tan fantástico haya sido creído por tantas personas, muchas de ellas intelectuales de gran prestigio dentro de la comunidad puertorriqueña?

En primer lugar hay que señalar que el relato está muy bien escrito y se basa en hechos verídicos registrados en los libros de historia.

El profesor José Antonio Ortiz le dedicó dos extensos comentarios el martes y viernes de la semana pasada en el programa "Buenas Noches" de Teleluz, en los que elogió entusiastamente el relato comparándolo con el realismo mágico de Gabriel García Márquez en *Cien años de soledad* y señaló que "constituye una invitación a indagar en la historia de Puerto Rico".

No ha sido el único en elogiar "Seva": un escritor reconocido lo llamó "El Aleph de Puerto Rico", en referencia al famoso relato de Borges, y un respetado profesor universitario dijo que está "a la altura de lo mejor que se ha escrito en la cuentística puertorriqueña".

En efecto, "Seva" es un texto literario impecable.

El problema es que el relato fue publicado en *En Rojo*, suplemento cultural del semanario *Claridad*, sin que se aclarara que se trataba de un texto de ficción.

Esto provocó que muchas personas pensaran que lo que se había publicado era un ensayo histórico, no un texto literario, y por consiguiente creyeran que estábamos en presencia de un gran hallazgo histórico.

El momento en que se produce la publicación de "Seva", poco después de las recientes revelaciones sobre los sucesos del Cerro Maravilla, propició ese clima de ingenua credibilidad, en la misma forma en que ocurrió en los Estados Unidos con la transmisión de Orson Welles casi en vísperas de la guerra.

El error de *Claridad* fue no aclarar que se trataba de una ficción literaria, lo que motivó la publicación de la siguiente nota de Luis

Fernández Coss, co–editor del semanario, en la edición posterior del mismo: "La intención original fue publicar el cuento identificándolo como tal. A petición del autor, se eliminó la nota".

De haber ocurrido una situación como ésta en un medio electrónico, por su inmediatez, las repercusiones hubieran sido mucho mayores, como ocurrió en la transmisión de Orson Welles o aquí hace algunos años con el sorpresivo parte que Eddie López incluyó en el programa "Esto no tiene nombre" sobre la supuesta invasión de Vieques, ocasión en que cientos de llamadas congestionaron el cuadro telefónico de Wapa TV.

El incidente "Seva" demuestra lo que un texto literario bien escrito puede generar y plantea la importancia de que los medios de comunicación diferencien claramente lo que es ficción de lo que es información.

"Seva" también invita a una seria reflexión sociológica sobre las condiciones que propiciaron que el trabajo fuera creído por tantas personas de alto nivel intelectual, lo que planea hacer una importante institución en un estudio que piensan titular "La Historia Añorada".

APÉNDICE 3

SEVA:
¿HISTORIA, ENGAÑO
O CONCRECIÓN DE UN SUEÑO?

Por
Marco Rosado Conde

SEVA: ¿HISTORIA, ENGAÑO
O CONCRECIÓN DE UN SUEÑO?*

Luis López Nieves es el autor de un escrito que ha cobrado inusitada notoriedad desde su publicación el 23 de diciembre de 1983 en el suplemento *En Rojo* de *Claridad*, bajo el título "Seva: Historia de la primera invasión norteamericana de la isla de Puerto Rico ocurrida en mayo de 1898".

Se trata de un cuento en forma de relato periodístico sobre un supuesto descubrimiento histórico de dimensiones espectaculares. Sorprendentemente un gran número de lectores, incluyendo intelectuales y profesionales, creyeron sin el menor asomo de duda que se trataba de un hecho real y reaccionaron de conformidad con esa creencia dando toda clase de pasos afirmativos. Al descubrir que se trataba de un cuento se sintieron engañados por *Claridad* o por el autor. El periódico ha explicado que todo se debió a un error y el autor ha expresado que asume la responsabilidad por lo ocurrido.

El incidente polarizó la opinión del público, colocándose de un lado los que lo han reprobado como un engaño imperdonable, y a otro lado los que se maravillaron por el relato aún más al saber que era una ficción. Pero lo cierto es que el autor jamás previó a los extremos

---

* *El Mundo*, 15 de enero de 1984.

que llevaría publicar su cuento **Seva** sin el rótulo literario. Para él, tal identificación neutralizaría la impresión inicial que deseaba crear en el lector, quien podría no obstante corroborar de inmediato la no autenticidad de la "historia" guiado por la duda que debía provocarle la propia inverosimilitud del relato, o bien las claves que ofrecía: el anacronismo en cuanto a la fecha de fundación de Ceiba; el nombre del edecán del general Miles, Andrew Virtue, que es el nombre combinado de dos editores de periódicos de la Isla; el sello notarial, que es evidentemente un facsímil, y otras.

Lo paradójico es que quienes han reaccionado con mayor indignación por el método de que se ha valido el autor para "reescribir la historia" sean los que más se asemejan en su visión apasionada del pasado. Mucha tela tienen los sociólogos para cortar en sus análisis sobre el fenómeno ocurrido. Por mi parte pienso que quienes han sido capaces de conmoverse ante la imagen viva de Seva –que no es sino la condensación dramática de nuestra lucha casi centenaria– demuestran que son legatarios de Águila Blanca (¿el hombre o el mito?), de Hostos, de Betances, del artesano, el obrero o el campesino que tuvieron que tragarse en silencio la ignominia de la invasión.

Debo decir que conozco el cuento de Seva desde que la idea de la existencia de este poblado heroico surgió en la imaginación de López Nieves. Leí sin demasiado entusiasmo las primeras versiones del relato, tal vez porque prefiero los cuentos evidentemente fantásticos o porque hace un tiempo que acepté como un hecho histórico –y no como una omisión imperdonable de nuestros antepasados– que nuestro pueblo no ofreció resistencia militar de proporciones considerables frente a la invasión norteamericana de 1898.

Para López Nieves, en cambio, **Seva** ha sido un sueño sublime reiterado que después de ocho años se decidió a concretar publicándolo de la única forma que permitiría a otros el placer que a él le estaba vedado de disfrutar siquiera momentáneamente el añorado "descubrimiento" de la heroica resistencia que *debió haber ocurrido en el 1898* y que a fuerza de soñarlo un buen día ocurrió.

Estoy seguro de que para el Bioy Casares de *La trama celeste* o el Herbert Marcuse de *El final de la utopía* el relato de **Seva** constituiría una aportación del autor al reclamo de reescribir la historia, pero obviamente otros no lo han tomado así.

Lo que para mí fue realmente sorprendente en el cuento no fue que los norteamericanos fuesen capaces de hacer y de ocultar los hechos que don Ignacio Martínez relató a Víctor Cabañas (en Granada hicieron algo similar hace algunas semanas), ni que hubiese puertorriqueños dispuestos a ofrecer resistencia al invasor (debió haberlos, y bastantes realistas por cierto); lo que a mí me conmovió fue el final, que no lo había leído antes: el hallazgo por parte de Víctor Cabañas del Roosevelt Roads real y existente debajo del cual no se encuentran los escombros de un pueblo llamado Seva sino un arsenal atómico capaz de borrar de la faz de la tierra no sólo a 700 patriotas heroicos sino a todos los habitantes del planeta, de aniquilar ciudades y campos, la atmósfera misma y hasta la última esperanza de Dios.

¿Cuál es la fantasía y cuál es la realidad? Creo que a veces nos creemos demasiado lúcidos y en verdad las confundimos. Acaso sea ese Víctor Cabañas que Luis alega conocer quien nos abra los ojos al 1998. Si eso ocurre, entonces ciertamente López Nieves no sólo habrá escrito un genial cuento maldito para concretar un sueño sino que habrá contribuido a reescribir nuestra historia.

EN CADA EJEMPLAR DE
LA COLECCIÓN CARA Y
CRUZ EL LECTOR
ENCONTRARÁ DOS
LIBROS DISTINTOS Y
COMPLEMENTARIOS
• SI QUIERE CONOCER
ENSAYOS SOBRE
SEVA
Y
LUIS LÓPEZ NIEVES
CITAS A PROPÓSITO DE
ELLOS Y CRONOLOGÍA,
EMPIECE POR ESTA, LA
SECCIÓN "CRUZ" DEL
LIBRO • SI PREFIERE
AHORA LEER LA OBRA,
DELE VUELTA AL LIBRO
Y EMPIECE POR
LA TAPA OPUESTA,
LA SECCIÓN "CARA".

LUIS LÓPEZ NIEVES
VIDA Y OBRA

COLECCIÓN

GRUPO EDITORIAL NORMA

http://www.norma.com

Bogotá, Barcelona, Buenos Aires, Caracas,
Guatemala, Lima, México, Panamá, Quito, San José,
San Juan, San Salvador, Santiago de Chile, Santo Domingo

CONTENIDO

SEVA, DE LUIS LÓPEZ NIEVES: UN CLÁSICO INCLASIFICABLE
Estelle Irizarry

SEVA, DE LUIS LÓPEZ NIEVES: UN CLÁSICO INCLASIFICABLE

Estelle Irizarry

¿QUÉ ES SEVA? "ESTE NO ES UN GALLO"

DON QUIJOTE, EL MÁXIMO EJEMPLO del lector crédulo que toma la lectura de novelas por verdad, nunca estuvo, que se sepa, en Puerto Rico, pero fue allí que un 23 de diciembre en el año 1983, se produjo una vasta quijotización colectiva, con su correspondiente sentido justiciero. Una lectura había despertado la indignación y protesta de un público que pedía justicia, conmovido por los sucesos contados. Lo insólito del caso es que la lectura fue un texto literario titulado *Seva* y los hechos que revelaba habían ocurrido ochenta y cinco años antes. Por lo menos, así creía mucha gente. Digo "texto literario" por falta de otro rótulo cómodo y exacto. Pero conviene buscar uno, porque en el proceso de la lectura, como en el cine mudo, los rótulos pueden ser muy útiles, y en este asunto invocamos nuevamente a Cervantes: En el capítulo 71 de la segunda parte del *Quijote*, éste habla de "Orbaneja, un pintor que estaba en Úbeda, que cuando le preguntaban qué pintaba, respondía: «Lo que saliere»; y si por ventura pintaba un gallo, escribía debajo: «Este es gallo», porque no pensasen que era zorra".

Se entiende que Orbaneja era un pintor "malo", pues su nombre trastrueca la palabra "obra" (**Orba**neja). Puede ser que simplemente no fuera de temple realista; su fórmula de "lo que saliere" sería tres siglos más tarde el lema del surrealismo. Pero, aunque Orbaneja era puntilloso en su tarea orientadora, alguna responsabilidad tiene el que mira un cuadro o lee un texto, que después de todo, no es una medicina que ha de llevar un aviso. Uno de los primeros comentaristas de

Seva, Isabelo Zenón Cruz, expresó sorpresa de que tanta gente creyera los sucesos allí contados porque le parecía, con mucha razón, que la obra llevaba pistas obvias. Es evidente que el autor de *Seva*, Luis López Nieves, daba por sentado que sus lectores, sin ayuda ajena, iban a equivocarse y caer en la trampa de la credulidad. Varios escritores han usado el recurso de Orbaneja para advertir al público que su contenido es inventado. Conocido es el aviso que llevan algunas novelas y películas de que cualquier parecido a personas vivas o muertas es pura coincidencia. En una época anterior, era frecuente añadir después del título en la portada el rótulo "novela". Borges gustaba de fabricar bibliografías falsas, pero las publicó en un libro titulado *Ficciones*.

Títulos de aviso así son *Falsas novelas* (redundante, por cierto) de Ramón Gómez de Serna, los *Cancioneros apócrifos* de Antonio Machado y, por ser de similar inspiración y obvio seudónimo, *Coplas de Juan Panadero* de Rafael Alberti. La portada de *Seva* parece ayudarnos al identificar la obra como "Historia de la primera invasión norteamericana de la isla de Puerto Rico ocurrida en mayo de 1898", pero como se verá más adelante, resulta ser una celada.

Pasado el tiempo y esclarecidos los hechos, *Seva* todavía ejerce fascinación. A pesar de que el autor asegura que es ficción, queda la duda. Las grandes obras de arte siempre conservan algo inasible, que sigue atrayendo después de nuestro contacto con ellas. En *Seva* ese algo es la incertidumbre. Ante una obra así, las clasificaciones fáciles se frustran. Cualquiera pinta un gallo; que además es animal común en la ruralía puertorriqueña, y en la pelea de gallos, que tiene sus aficionados en Puerto Rico. Pero un gallo-zorra, como el que amenazaba salir del pincel de Orbaneja podría ser tan genial y original como el "baciyelmo" de don Quijote, que sin dejar de ser bacía de barbero, le servía también de yelmo. *Seva* es así; combina verdad y mentira en un juego de burlas veras y perspectivas cambiantes.

Seva, para tener nombre tan corto, es una obra compleja que elude a las taxonomías tradicionales de los críticos y lectores académicos (efectivamente, *se nos va*). Lo único que se puede decir con certeza y acuerdo común es que salió en diciembre de 1983 y es una creación de Luis López Nieves, a la sazón un joven profesor recién doctorado, que había publicado ya unos cuantos cuentos y empezaba a dar talleres en la materia. Aclamada desde su publicación, se convirtió inmediata-

mente en un clásico. Leída y estudiada dentro y fuera de Puerto Rico, incorporada en el folklore y celebrada en bailes, canciones y poemas, la obra inmortaliza un episodio nacional... ¡que nunca sucedió!

Para poder apreciar la ficción y la situación que la produjo, conviene repasar, aunque sea en la forma más esquemática, lo que sí sucedió en el año 1898, según los historiadores autorizados, y lo que significaba en términos de consecuencias. Puerto Rico, isla en el Caribe visitada por Colón durante su segundo viaje en 1492, era todavía, cuatrocientos años más tarde, una colonia española, cuando sobrevino el suceso que cambió el destino de la isla –la Guerra de Cuba, llamada también la Guerra Hispanoamericana. Invocando el hundimiento del acorazado Maine en el puerto de La Habana, Estados Unidos declaró la guerra contra España el 21 de abril de 1898. El 12 de mayo hubo un preludio a la invasión en grande que venía, cuando la escuadra norteamericana del almirante Sampson apareció frente a la costa de San Juan, la capital de Puerto Rico, y bombardeó la ciudad durante cuatro horas (Ribes Tovar 376), aunque la mayor parte de los proyectiles pasaron sobre la ciudad (Vivas Maldonado 261).

El 25 de julio de 1898 empezó de veras la ofensiva con la entrada de las tropas norteamericanas del general Nelson A. Miles en el puerto sureño de Guánica. Las defensas españolas eran pobres, obligando a sus simpatizantes puertorriqueños a formar grupos de guerrillas. El 28 de julio se entregó a los norteamericanos la ciudad de Ponce, en el sur de la isla, sin disparar un tiro, puesto que el defensor español, el coronel San Martín, tenía insuficientes tropas y quiso evitar la destrucción de la ciudad. Ese mismo día se emitió la proclama (reproducida en *Seva*) que aseguraba a los habitantes de Puerto Rico que Estados Unidos vino para traerles libertad. El 12 de agosto cesaron las operaciones militares. Por el Tratado de París que terminó la guerra, España perdió sus últimas colonias en América –Cuba y Puerto Rico. Este pasa a ser "territorio" de Estados Unidos, y se instaura un gobierno civil con participación puertorriqueña. En 1952, se establece por referéndum el actual status de "Estado Libre Asociado", que rinde "cierto grado de autonomía, dentro del sistema de vida político, económico y social de los Estados Unidos de Norteamérica", según J. L. Vivas Maldonado, quien resume las opciones así: "El pueblo de Puerto Rico tiene ante sí tres posibilidades en el campo de su personalidad política: el Esta-

do Libre Asociado, la Estadidad Federada y la Independencia" (Vivas Maldonado 319).

Por otra parte, forzoso es reconocer que más de un siglo de vida bajo el dominio norteamericano no ha quitado la hegemonía del idioma español en la isla; por lo cual se le adjudicó el premio Príncipe de Asturias en 1991 colectivamente al pueblo de Puerto Rico.

Los acontecimientos centrales en *Seva* transcurren durante esa época difícil del 98, pero sus referentes son también contemporáneos y sus proyecciones universales. No es una obra tendenciosa ni se limita a la circunstancia puertorriqueña. Sí es una creación muy original que no se conforma a un patrón convencional, ni cabe en clasificaciones tan básicas como ficción o no ficción. Sus múltiples facetas, como las de un brillante, emiten destellos que se irradian hacia fuera y otros que iluminan su interior. Proponemos a continuación algunos rótulos, de inspiración orbanejana, para esas facetas, que representan diversas maneras de leer esta obra que es, como su Isla, *sui generis*.

"ESTE ES UN CUENTO"

Por la extensión del texto original de *Seva* y la unidad de su hilo argumental, el término genérico "cuento" parece apto para describir la exposición de hechos, que no se hace en forma estrictamente narrativa, sino a través de correspondencia epistolar y diarios. El cuento salió en la ya mencionada fecha del 23 de diciembre de 1983, en el suplemento cultural *En Rojo* del semanario pro-independencia *Claridad*.

En seguida hay un detalle extraño: la carta que Luis López Nieves supuestamente escribió al editor de *Claridad* al enviarle el cuento se incluye como su comienzo. Así, Luis López Nieves, autor fuera del cuento, entra dentro de él también, como personaje que busca a su amigo, el profesor Víctor Cabañas, desaparecido en circunstancias misteriosas. La correspondencia de Víctor al autor revela la "verdadera" pero desconocida historia detrás de los eventos de 1898: que hubo una invasión norteamericana previa a la que registra la historia "oficial". Según el cuento, los norteamericanos desembarcaron el 5 de mayo en un pueblo llamado Seva, donde los habitantes respondieron

con una tenaz y heroica resistencia hasta el 6 de agosto, cuando nuevas tropas enviadas desde Ponce les sorprendieron. En Seva, los soldados del general norteamericano Nelson Miles mataron a 650 en combate y al otro día fusilaron a los 71 sobrevivientes, la mayoría de ellos mujeres y niños. Para borrar toda huella de la masacre, los invasores redujeron el pueblo a escombros y construyeron sobre ellos una base naval llamada Roosevelt Roads, por recomendación de "Luis M. Rivera" (Luis Muñoz Rivera, que coopera con Miles), y otro pueblo en las cercanías que llamaron Ceiba (que existe en realidad), para confundir a la gente y encubrir la desaparición del pueblo original por la masacre.

Lo que sigue después sucede extramuros del cuento. No vamos a dar una relación detallada del revuelo nacional que desató el cuento, porque lo hace muy bien Josean Ramos en su ensayo que ahora complementa y completa el cuento original en todas las ediciones publicadas después. Basta decir que mucha gente creyó en la verdad de la mentira. Una especie de histeria nacional brotó casi en seguida.

El antecedente más conocido de este tipo de reacción fue el pánico que cundió por Estados Unidos el 30 de octubre del año 1938 cuando el Mercury Theater of the Air, que presentaba por radio obras de teatro dirigidas por Orson Welles, transmitía su versión de la novela de ciencia ficción *La guerra de los mundos*. Welles había hecho una adaptación de la obra, sobre una invasión marciana, en el formato de noticias en vivo. Tratándose de un medio auditivo, no se podía rotular, y el aviso de que el drama era ficticio no se daba por cuarenta minutos. Para entonces el público había entrado en pánico, huyendo, escondiéndose y armándose. El caso demostró que aún cuando no hay intenciones de asustar al público, miden factores y circunstancias que pueden estimular la credibilidad irracional, como aquí eran la fecha –un día antes de Halloween–, y el formato de presentación de noticias. Los primeros lectores de *Seva*, igualmente ingenuos, perdieron de vista que el cuento fue publicado la semana del Día de los Santos Inocentes, el 28 de diciembre, cuando se suele engañar a los amigos inocentes. En cambio, les sonaría conocida la fecha del 5 de mayo, que evoca el heroísmo de los mexicanos en su victoria sobre los franceses en la Batalla de Puebla en 1862. Hubo protestas a los medios masivos de comunicación, y al gobierno insular y de los Estados Unidos. El pueblo pedía cuentas, como así también el autor en las últimas palabras del relato: "¿Dónde

está el doctor Víctor Cabañas?" Ante los hechos y reclamaciones ya incontrolables, *Claridad* publicó una nota, aclarando que *Seva* era un cuento. Pero aún así la gente no quedó convencida. Ya era tarde.

Entramos en el cuento por una estructura de caja china, a través de una serie de cartas y anejos –unos escritos que presentan otros. El siguiente esquema muestra esta estructura en el cuento publicado en *Claridad* junto con las fechas correspondientes.

Claridad, semanario	*(23 dic. 1983)*
Carta del autor al director de *Claridad*	*(15 oct. 1983)*
Cartas de Víctor Cabañas al autor	*(27 jun. 1978, SJ)*
	(14 oct. 1978, Wash, DC)
	(21 oct. 1978, Wash, DC)
Diario del Gen. Miles, anejo	*(5 mayo-28 junio 1898)*
Más cartas de Cabañas al autor	*(fin de la carta del 21 oct. 1978)*
	(13 sept 1979, Oviedo, Asturias, Esp.)
	(29 nov. 1979, Vigo, Galicia, Esp.)
	(6 junio 1980, Oriente de PR)
	(17 enero 1981, Naguabo, PR)
	(14 agosto 1981, Naguabo, PR)
Comentario final del autor	*(sin fecha [1983])*

Hay un total de ocho cartas de Víctor al autor, que son, como las de Hernán Cortés, "cartas de relación" y no de intercambio, porque ni piden ni mencionan contestación de parte del autor, que es su destinatario.

Nadie ha comentado el hecho de que Víctor fecha su carta inicial el 27 de junio de 1978, un mes antes de los asesinatos en Cerro Maravilla de dos jóvenes independentistas el 25 de julio por la policía en circunstancias que precipitaron un escándalo nacional. Volveremos al caso más adelante, pero por ahora, basta notar sus repercusiones en

el autor de *Seva*, porque, curiosamente, la primera carta en otro de sus cuentos, "Escribir para Rafa" (1987), también está fechada en 1978 –el 7 de julio. Ese año tan turbulento para Puerto Rico, entonces, es punto de arranque insistente en dos obras de López Nieves, y con razón. El gran tema de *Seva* es el encubrimiento de desafueros cometidos por las autoridades, y uno de ellos estaba representándose ante el público al mismo tiempo que Víctor Cabañas estaba investigando los hechos ocurridos en Seva. Cerro Maravilla es el escándalo que "no *se va*". Por años y años hubo vistas, editoriales y juicios, que evocaban el todavía no olvidado caso norteamericano de Watergate en 1972, cuando la entrada ilegal de cinco espías políticos en la Oficina Central del partido Demócrata en el edificio Watergate en Wáshington, DC y el encubrimiento posterior condujeron a la renuncia del presidente Nixon.

El cuento "Seva" fue recibido como otro escándalo más, pero no todo el mundo sabía que era un escándalo rescatado del pasado apócrifo, es decir, de la imaginación de Luis López Nieves.

"Esta es una novela"

El cuento publicado en el suplemento de *Claridad* en 1983 se presentó al año siguiente, en forma de libro. Si bien unas fotos habían acompañado el cuento original, ahora el libro llevaba su buen acopio de crónicas, opiniones, testimonios, artículos, fotos y poemas que aumentaban considerablemente el número de páginas. Desde entonces, *Seva* es una novela que contiene testimonios contradictorios –algunos que ponen en evidencia la ficción y otros que corroboran lo contado en el cuento y celebran el heroísmo de los sevaeños. Como una obra más larga y compleja que el cuento solo, el libro tiene el carácter de "morosidad" que Ortega atribuye a las novelas que nos adentran en múltiples niveles, donde uno se pierde en un mundo "diferente" del que habita normalmente. *Seva* era ahora una novela estructurada como collage.

En *Seva* la novela, gran parte de la composición, como en un collage pictórico, es material de fechura ajena. Con mucho tino López Nieves recogió una crónica, comentarios, informes, reseñas, artículos, opiniones, anécdotas y crítica acerca del cuento y los introdujo en su

libro. De esta manera, el autor logró superar el peligro más grande de "engañar" al público –el castigo del olvido. Se puede decir en el caso de *Seva*, que el libro salvó al cuento.

La novela es una creación de autor, lectores y críticos. El material agregado tiene una función múltiple. Antes que nada, las anécdotas sobre las experiencias de la gente que se dejó llevar por la ficción sirven como un aviso a nuevos lectores de que el cuento que es el núcleo de la novela es ficticio. Segundo, atestiguan el éxito de la ficción, en su calidad de "embuste convincente". Y tercero, es una manera sutil de mostrar la atención crítica que ha atraído la obra, contribuyendo al prestigio del autor en la prensa popular, la publicación académica y en los medios de difusión audiovisuales.

Pero con el transcurso del tiempo algo insólito e imprevisto pasó durante la transformación de cuento a novela. Irónicamente esos mismos comentarios, auténticos en su momento, parecen hoy tan inventados como el cuento. El más extenso es la ya aludida crónica de Josean Ramos que detalla la trayectoria de los eventos a consecuencia de la publicación original, y la protesta pública que suscitó. Una biografía de 59 palabras hace que López Nieves parezca tan inventado como son los sesenta poetas (inexistentes), cuyas mini-biografías creó Max Aub para su *Antología traducida*. Francisco Ayala habla de la "ficcionalización" de una persona real, cuando está representada en una novela. Aunque lleve su nombre conocido y coincida en todos los respectos con la persona que es, la novela lo convierte en personaje. Así como López Nieves se inventa como personaje-autor en su obra, igualmente inventados podrían ser Fernando Picó, Emilio Díaz Valcárcel, Isabelo Zenón Cruz, Josean Ramos, Pedro Zervigón y Marco Rosado Conde, y los comentarios atribuidos a ellos. Si algunos de estos escritores y críticos pierden la fama y los lectores del futuro ya no reconocen sus nombres, parecerán más inventados que *Seva*. A medio camino en ese proceso está el Dr. Marcelino Canino, verdadera persona cuyo libro supuestamente contiene la referencia [ficticia] a la desconocida primera invasión. Ya se ha completado el proceso de transformación de dos periodistas conocidos de Puerto Rico, Peggy Ann Bliss (Peggy Ann Miles, en *Seva*) y John Virtue (oficial militar norteamericano Andrew Virtue en *Seva*).

La impresión de que el cuento original es verdad y los juicios que le acompañan ficción conduce a la cuestión, algo inquietante, de si *Seva*

la novela seguirá "devorando" a sus críticos y comentaristas. Como collage abierto, la novela es agresiva, apoderándose de escritos inspirados en ella, sobre todo comentario crítico. ¿Seguirá creciendo en ediciones futuras, engullendo a verdaderos profesores y estudiosos y transformándolos en parte integral de la novela? Es probable, porque resulta ser un modo original y eficaz de desarmar a los críticos el inmovilizarlos en las páginas de *Seva*.

"ESTA ES UNA HISTORIA ALIMENTADA POR LA HISTORIA"

López Nieves ha aportado un rótulo para su obra, pero es difícil determinar si es orientador o desorientador el ya mencionado subtítulo que identifica *Seva* como "Historia de la primera invasión norteamericana de la Isla de Puerto Rico ocurrida en mayo de 1898". Con exquisita ambigüedad el autor ha eliminado el artículo, que es el único modo de distinguir entre la Historia y una historia. Aprovecha el hecho de que el idioma español permite usar una misma palabra, "historia", para designar la relación de eventos verdaderos y falsos por igual. No obstante, sabemos que contar una historia inventada (una ficción) no es lo mismo que contar la historia verdadera (una cronología fiel).

Aún así, no está garantizada la verdad de "la historia" ni que "una historia" sea mentira. Hasta en la Historia "oficial" se cuelan historias inventadas. Hay toda una rama híbrida de la historia dedicada a socavar la Historia, como enseña Julio Caro Baroja en su libro *Las falsificaciones de la historia*. En *Seva*, el Dr. Víctor Cabañas es profesor de historia; por lo tanto, confiamos en su historia.

Seva comprueba que la alteración de la historia no ha de ser una estafa; puede ser positiva y constructora, e inspirar sentimientos de patriotismo, indignación e idealismo. Al mismo tiempo la experiencia de leer *Seva* es una lección en el arte y recepción de la historiografía que aconseja duda, desconfianza y cautela. Se nutre de la historia, pero responde con "contrahistoria" –la que nunca sucedió pero pudo haber sucedido–, que a su vez enriquece nuestra comprensión del pasado. Para el autor, es una manera de "corregir" la historia y de rendir ho-

menaje u oprobio a figuras del pasado. *Seva* nos invita, implícitamente, a comprobar o desmentir lo que cuenta, y en el proceso, aprender historia. Confieso haber leído la autobiografía del general Miles por la caracterización de él como personaje en *Seva*, que de otra manera nunca habría buscado un libro de ese tema.

1) *La verdadera historia de Ceiba.*

La historia inventada se enriquece con datos de la Historia verdadera y vice versa. Por ejemplo, la verdadera historia de Ceiba muestra una serie de transformaciones que prefiguran su destino en la novela. Ceiba es una municipalidad relativamente pequeña –70 kilómetros cuadrados o 27 millas cuadradas– ubicada en la costa nordeste de Puerto Rico, que es una isla pequeña (3,435 millas cuadradas u 8,794 kilómetros cuadrados, incluyendo las islas bajo su jurisdicción). El pueblo está nombrado por el árbol inmenso y frondoso, de tronco masivo formado por gruesas raíces como pequeños troncos entrelazados, que era adorado por los indígenas. El pueblo de Ceiba pasó por nada menos que cuatro "cambios de soberanía" antes de 1983, no muy diferentes del que ocurrió a nivel nacional en 1898, excepto que tres de las entregas se efectuaron pacíficamente.

• A principios del siglo XVI, después de una tenaz resistencia, los caciques de los indígenas taínos Daguao y Jumacao quemaron una ciudad allí para que no cayera en manos de los españoles (Diez Trigo 136). Los caciques se refugiaron en la sierra de Luquillo, tal como hacen dos personajes en la novela.

• El 12 de mayo de 1838 ocurre la fundación oficial de Ceiba como municipalidad y su separación de Fajardo, a cuyo distrito pertenecía como barrio (Ribes Tovar 255; Díez Trigo 136). La protesta de un vocero de Fajardo, Pablo Carreras, de que conceder autonomía a Ceiba crearía "la monstruosidad de destruir un pueblo formado para levantar uno nuevo" (Díez Trigo 136), anticipa precisamente lo que sucede en *Seva*.

• En 1898, cuando Puerto Rico pasa a la dominación estadounidense, Ceiba vuelve a ser parte de Fajardo.

• Ceiba se separa de nuevo de Fajardo en 1914.

La época post *Seva* trae una "entrega" más: el Congreso de Estados Unidos decide cerrar la base naval y se la devuelve al gobierno de Puerto Rico en 2005. Estos varios desplazamientos dan crédito a los sucesos que ocurren en *Seva*.

2) *El año 1898; la Guerra Hispanoamericana*
La Historia revela que por poco se involucra el verdadero pueblo de Ceiba en la guerra porque el general Miles había planificado entrar por Fajardo, no lejos de Ceiba, pero hubo un cambio de planes. Para despistar a los españoles, los estadounidenses efectuaron un amago de desembarco por Fajardo, pero el verdadero ataque se verificó por Guánica (Vivas Maldonado 261). El cambio de nombres de Seva a Ceiba en la novela es un subterfugio para esconder la masacre, aprovechando la semejanza entre la pronunciación de "ceiba" y "seva". Desde la época de los primeros cronistas hasta 1836, había sido "seyba" (Diez Trigo 136). La facilidad con que los que mandan pueden cambiar un toponímico se ilustra a nivel nacional. Gracias al geógrafo norteamericano Robert T. Hill, que evidentemente no podía pronunciar el español, "Puerto Rico" fue "Porto Rico" para los norteamericanos a partir de 1899 pero, claro está, no para los puertorriqueños. Hill insistía en escribir "Porto Rico" en sus artículos en la revista *National Geographic* contra las protestas de los editores, causando un conflicto entre "portistas" y "puertistas", con la victoria de aquéllos hasta que el Congreso norteamericano restauró "Puerto Rico" al status oficial en 1932 (Pedreira, Ribes Tovar). De la misma manera, en la obra de López Nieves, "Ceiba" es el nombre del pueblo que a partir de 1898, encubre la masacre.

3) *La época de la creación del libro: 1978-1983*
Ya se ha mencionado el caso de Cerro Maravilla, que llegó a sacudir la isla en el año 1978, cinco años antes de la publicación de *Seva*. Toro Sugrañes resume los hechos así:

El 25 de julio de 1978 ocurrió el desgraciado suceso conocido como el Caso del Cerro Maravilla, en que dos jóvenes independentistas, Carlos Soto Arriví y Arnaldo Darío Rosado, fueron llevados a ese lugar y muertos allí por la policía,

que alegaba que los jóvenes iban a volar unas instalaciones de electricidad. Al respecto se suceden innumerables investigaciones tanto al nivel estatal como federal, pero aun así persisten ciertas dudas en la mente de la ciudadanía, sobre qué fue lo que verdaderamente pasó allí. (Toro Sugrañes 185)

Hubo vistas, investigaciones y juicios que seguían por años. Seguramente estos eventos aún recientes estaban en el ambiente e influyeron en la creación y recepción de *Seva*. La gente estaba harta de "encubrimientos" y asesinatos. Uno de los jóvenes asesinados en Cerro Maravilla fue Carlos Soto Arriví, hijo del novelista puertorriqueño Pedro Juan Soto, con quien había tomado López Nieves un taller de narrativa en la universidad.

El lector de *Seva* ha de aceptar la premisa de que la masacre allí estuvo tan bien encubierta a partir de 1898 que no llegó a conocerse hasta que Víctor Cabañas emprendió su investigación ochenta años más tarde. En cambio, en 1983 apenas sale la noticia (falsa) en *Seva* y estalla la protesta. Claramente, la historia verdadera y reciente fue un factor en la inspiración, creación y recepción de la historia inventada de *Seva*.

"ESTA ES UNA BROMA LITERARIA"

Irónicamente, *Seva* convenció a un amplio público de que habían sido víctimas de un engaño histórico y no se daban cuenta de que eran víctimas de un hábil engaño literario. La recepción del cuento justifica el rótulo de "broma literaria".

La broma o superchería literaria es una extensión del pacto milenario entre autor y lector. En toda ficción hay un espíritu de juego en el sentido de que el lector es invitado a aceptar las imaginaciones literarias como si fuesen la verdad. El lector se compromete a creer lo que lee en cuanto dure la lectura. Algunos autores, no satisfechos con esta convención narrativa, han querido extender la esfera de sus imaginaciones más allá de los confines de la obra escrita.

Lo que llamo "broma literaria" reúne tres condiciones indispensables: (1) Se emprende con pretensiones literarias, no como estafa por lucro o para hacer propaganda.

(2) Conserva lo que Huizinga llama el "elemento de juego", el sentido lúdico. Cuando pierde este elemento y decae en intenciones maliciosas o sediciosas, es otra cosa.

(3) Contiene pistas y claves que permiten descubrir la superchería (Irizarry, *Broma*). *Seva* cumple con todos estos requisitos.

La recepción de *Seva* no fue un accidente, como en el caso de *La guerra de los mundos*. En *Seva*, López Nieves explica que el director de otro diario, *El Reportero*, iba a publicar el texto "como yo lo quería: sin la etiqueta de cuento" (74), pero surgió algún lío y renunció. Esta revelación comprueba que *Seva* fue desde el principio una travesura emprendida con intenciones bromistas.

Hubo factores externos que acondicionaron al lector a tomar la broma en serio, en este caso las circunstancias editoriales. El género periodístico supone la comunicación de noticias. Era previsible que publicar un cuento de revelación de escándalo como "Seva" en un periódico de noticias como *Claridad*, con o sin rótulo que lo identificara como ficción, iba a causar confusión, aún cuando se presentaba en el suplemento cultural.

Seva es un *trompe d'oeil*, para usar el término pictórico, porque el engaño entra por los ojos, no por los oídos, como sucedió con *La guerra de los mundos* cuando fue transmitido por radio. Víctor habla de grabaciones, pero para el lector, las vías de información son exclusivamente visuales, como lo es también la foto del único sobreviviente, un rectángulo completamente en blanco, una pista graciosa.

La información que transmite el autor está en cartas y diarios. No hay diálogos en *Seva*, y la estructura de diarios y cartas sin contestación no admite interrupciones, preguntas, réplicas, etc. Cada personaje escribe hasta dar por concluido su mensaje. En este tipo de comunicación no hay oportunidad para objetar. Se cohíbe la desconfianza normal y saludable. Nadie cuestiona la veracidad. Así, la estructura del cuento también facilitó su aceptación. Y como no hay nada en *Seva* que sea intrínsecamente imposible o contra las leyes del universo físico como en el realismo mágico, todo está dispuesto para que el lector quede convencido de la historia allí contada.

"ESTA ES UNA NOVELA NEGRA"

Evidentemente, López Nieves encontró interesante el ensayo que puso en su página en Internet "ciudadseva.com", titulado "Cómo se escribe una novela negra (¿Se puede freír un huevo sin romperlo?)" del novelista español Mariano Sánchez Soler. Muchos temas que discute éste no son exclusivos a la novela negra, por ejemplo, personajes bien elaborados y la fuerza de los diálogos, pero algunos puntos son útiles para apreciar *Seva* como novela negra. *Seva* le proporcionó a López Nieves experiencia en este género que después probará en cuentos como "Escribir para Rafa", "El suplicio caribeño de Fray Juan de Bordón " y, en 2005, una novela larga, *El corazón de Voltaire*. Todas estas obras, tan distintas entre sí, emplean forma epistolar, tienen personajes profesores de curiosidad más que común y examinan un misterio y secretos ocultados. Además de estos elementos, contribuye a su dominio del género negro una tendencia generalizada que ha observado con mucho acierto Rita de Maeseneer, "la elaboración cuidadosa de los cuentos" con su "capa de investigación casi científica, casi detectivesca".

He aquí algunos requisitos del género propuestos por Sánchez Soler que se destacan en *Seva*:

(1) La búsqueda de la verdad. (La intención de Víctor no es buscar un ente responsable sino de penetrar un muro de mentiras.)

(2) La intriga del "quién" al "cómo". (El énfasis está en los detalles de cómo se llevó a cabo la supuesta masacre.)

(3) Acción. La novela negra es una narración itinerante que describe ambientes y personajes variopintos mientras se persigue el fin. (Víctor visita Wáshington, DC y España y da con personajes pintorescos, como la nieta del Gen. Miles e Ignacio Martínez, el sobreviviente, a quien le falta una oreja.)

(4) El argumento es aventura indagatoria, intriga, realismo, crítica social, espejo en movimiento... (Todos estos elementos, sobre todo crítica social, están en *Seva*.)

(5) Evitar divagaciones caprichosas. ("Seva", el cuento, es un modelo de concisión y economía, una novela con la extensión de un cuento.)

(6) Documentarse para ser verosímil. (Lo hace López Nieves con creces.)

La novedad que introduce el autor es la multiplicación de investiga-dores-detectives que simultáneamente investigan incógnitas relacio-nadas con *Seva*. El detective primario, por su constancia en el cuento, es el profesor de historia Víctor Cabañas, quien, impulsado por una revelación que le proporciona el azar en una copla que encuentra en el libro *El cantar folklórico de Puerto Rico* del Dr. Marcelino Canino, se entrega a la investigación de los hechos. Semejante hallazgo fortuito ocurre en "Tlön, Uqbar, Orbis Tertius" de Borges, de un artículo sobre Uqbar en una sola edición anómala de cierta enciclopedia.

El segundo detective es el autor, que a su vez lleva a cabo una inves-tigación. Busca a su amigo Víctor Cabañas, temiendo que su desapari-ción de dos años sea permanente, a raíz de sus pesquisas impertinen-tes en secretos norteamericanos. El autor acude al periódico *Claridad* para hacer público el material que ha recibido, porque cree que puede ayudarlo a encontrar al amigo desaparecido.

El tercer detective está oculto pero nos es conocido de referencia, cuando Víctor expresa sus temores al autor. Son los agentes de segu-ridad del gobierno norteamericano. Víctor escribe al autor: "Sé que lees muchas novelas detectivescas, así que seguramente has adivinado adónde me dirijo. En efecto: voy a la Base Naval" (48). ¿Existe allí un arsenal nuclear secreto en violación de tratados de prohibición de armas nucleares en América Latina? Se siente bajo "vigilancia muy especial" y teme ser acusado de espía. En esta configuración, Víctor es el perseguido al mismo tiempo que perseguidor.

Y, fuera de las solapas del libro y el texto escrito, hay un cuarto detective imprescindible –el lector, que busca la verdad. A pesar de lo que dice el teórico Sánchez Soler como advertencia final: "nada de trucos" y "jugar limpio con el lector", me pregunto si el texto contiene una trampa para el lector desprevenido y para el "autor" dentro del cuento. La pregunta es ¿Quién es el bromista? Atribuimos la inven-ción de *Seva* a su autor nominal, Luis López Nieves, pero –y que yo sepa, nadie ha adelantado la posibilidad ¿insólita? de que fuera una broma de Víctor Cabañas. En esta interpretación, Víctor, motivado por frustración y resentimiento político, ha urdido todo el mito y hasta su propia desaparición. Usa al autor para asegurar su escape, puesto que los cargos son serios y el castigo inevitable. En esta configuración, el "autor", igual que el lector, es "víctima" de una ficción inventada por

Víctor Cabañas (lo cual explicaría su nombre, Víctor). Estamos de nuevo ante las "dos historias": que Víctor tenga su doctorado en historia no garantiza la veracidad de la historia que cuenta.

"ESTE ES UN MITO UNIVERSAL Y UNA LEYENDA URBANA"

La palabra "mito" suele surgir en la crítica en torno a *Seva*. El mitema, es decir, la base genérica o universal de donde se derivan los mitos particulares, es bastante conocido: el heroísmo colectivo de pueblos antiguos que resistieron a los invasores, ciudades como Troya, Numancia, Sagunto y Masada. Hacía falta la mitificación para contrarrestar los efectos dañinos para la psique nacional de otros mitos negativos ya arraigados, notablemente la mansedumbre de los indígenas taínos y el del "puertorriqueño dócil" (por desvalorar el machismo, según René Marqués en su ensayo así titulado, 1972). El crítico Marcelino Peñuelas contempla el papel de los mitos y el deseo de sustituir mitos de vencimiento (de "perdedores" según Consuelo Martínez Justiniano [230]) con nuevos mitos de heroísmo en las siguientes observaciones:

...el mito es una parte esencial de la dimensión humana de la realidad. Más aún, que el mito contribuye a crear, o crea en cierta forma, la realidad... Y por eso es una realidad operante que mueve al hombre a la acción como proyección de sus deseos, ideales y esperanzas. (Peñuelas 78)

Martínez Justiniano ve en *Seva*, más que un mito, una epopeya literaria, que por la grandeza de los hechos y las aspiraciones creo justificada. En los contextos citados, el término "mito" se refiere a un cuento que pertenece al acervo colectivo de los valores y sueños de un pueblo. Pero no olvidemos que "mito" tiene también otro sentido –de historia inventada, exagerada y falsa. Mito-mentira es el otro, el de la cobardía y docilidad, que el nuevo mito, el del épico heroísmo de *Seva* viene a sustituir, superar y corregir.

Los mitos suelen tratar hechos y protagonistas prodigiosos, heroicos y fuera de lo común, mientras que las leyendas se ocupan más de

personas comunes que tienen experiencias no comunes. La leyenda urbana conserva características del género folklórico antiguo a la vez que sus referencias son de acusada actualidad. La siguiente lista de características procede mayormente de la folklorista Linda Dégh y el coleccionista de leyendas urbanas Jan Harold Brunvand:

La leyenda urbana relata una historia muy sugerente, atrayente, graciosa, terrorífica, sensacional o inusitada en un ambiente de realidad cotidiana. La leyenda es narrada como verdad o creída como tal, porque su credibilidad es la medida de su éxito. El ambiente es urbano, los detalles abundantes y su público amplio. Se cuenta en la primera persona, o citando a un testigo o fuente, en particular a "un amigo de un amigo". Hay un elemento lúdico, de juego o de engaño: misterio, broma, chiste o superchería. La difusión es amplia y rápida, gracias a los medios de comunicación. Y finalmente, contiene admoniciones implícitas o intuidas. El "embuste" ha de ser convincente y tan atrayente como un rumor. Motivos frecuentes en el género son los "encubrimientos" oficiales, las masacres, peligro y persecución.

El autor confía a Josean Ramos en la "crónica" que sigue al cuento original: "El escritor, embustero de profesión, siempre ha intentado pasar gato por liebre". Esto es exactamente el propósito de toda leyenda urbana. El "amigo de un amigo" es don Ignacio Martínez, que amén de informante es ahora, para mayor garantía de confiabilidad, amigo de Víctor. Documentos, mapas, cartas, fotos y grabaciones se presentan como autoridad "incontrovertible".

Seva va más allá de la narrativa anecdótica de la típica leyenda urbana; es un meticulosamente elaborado drama puesto en escena con todo Puerto Rico como su teatro. Lo que consagra la obra como leyenda urbana de modo definitivo es su trayectoria independiente después de la publicación inicial, el proceso de transmisión y propagación de la "mentira" que fue llevado a cabo por radio, televisión y la prensa periodística y por lectores urbanos–críticos, historiadores, profesores, artistas e intelectuales. Se comentó la supuesta masacre en sitios urbanos: en "fiestas, negocios, librerías y hogares", según la crónica de Josean Ramos.

La leyenda urbana vinculada con un lugar se arraiga con tanta fuerza que nunca más podemos mirar el sitio de los acontecimientos sin recordar lo que el autor dijo que había sucedido allí. Con la entrega de la base

naval al gobierno insular, los curiosos empedernidos, por no decir impertinentes, podrán entrar en los predios de la base abandonada y, como en la película documental de Francisco Serrano sobre *Seva*, buscar una fosa común como evidencia de una masacre. El libro alimenta la duda, y eso es saludable, porque es una advertencia contra la credulidad ingenua.

"ESTE ES UN ROMPECABEZAS DE DIFÍCIL RESOLUCIÓN"

Seva como rompecabezas reta al lector a comprobar su verdad o mentira, al mismo tiempo que parece refractario a toda prueba. Como ocurre a menudo con Borges, la mezcla de verdad y mentira está elaborada de modo tan genial que el lector termina siendo víctima comoquiera, si suspende toda duda y se entrega a la ficción, o si se pone a buscar datos para comprobar la mentira.

Hay muchos datos que pueden usarse en ejercicios de comprobación, como, por ejemplo, la dirección de Peggy Ann Miles, que el mapa de Alexandria, estado de Virginia, confirma como calle verdadera pero número inexistente.

En cuanto a los documentos, hay métodos para comprobar autenticidad, como el análisis de estilo con computadora, pero con gran sagacidad, Víctor Cabañas –o el autor de *Seva*– ha tomado precauciones que dificultan la tarea. El hecho de haber traducido el diario del general Miles al español, hace imposible determinar con certeza su autenticidad, por la interferencia del estilo del traductor. Víctor mandó al autor las páginas originales de Miles escritas "en su puño y letra", pero llegamos a ver una sola página, la sola pista aprovechable para un análisis fehaciente. Desafortunadamente, la muestra (figura 1) contiene sólo 98 palabras, que es muy poco texto para analizar con certitud científica.

Más subjetivo pero potencialmente eficaz para impugnar la autenticidad de un escrito es buscar inconsistencias, a la luz de otras fuentes de información o, mejor aún, con documentos de comprobada autenticidad. Se puede afirmar que López Nieves acertó plenamente al incluir el diario de Miles, porque al general le gustaba escribir, como atestigua su voluminoso tomo de *Personal Recollections and Observations of General Nelson*

A. Miles (Memorias y Observaciones) publicado en 1896, dos años antes de que lo mandaran a Puerto Rico, una asignación que él consideraba un desprecio, después del distinguido servicio que había prestado en el apaciguamiento de los indígenas del oeste norteamericano.

He aquí algunas inconsistencias entre este libro auténtico y sus escritos inventados en *Seva*.

Escritura de números

En su libro, con muy pocas excepciones, Miles tiene la idiosincrasia de escribir palabras y no cifras para designar números que contienen menos de cuatro cifras distintas, como en estos ejemplos (trad. mía; págs. entre paréntesis)

• siete-doceavos de su mando... cincuenta y ocho minutos. (290)
• Sus fuerzas comprendían unos mil guerreros, y yo tenía trescientos noventa y cuatro rifleros con una pieza de artillería. (225)
• cuatro millones de acres, cien indígenas (319)
• cuatrocientas cincuenta millas; setecientos veinticinco millas (373)
• ...esta estación repitió ciento veinticinco mensajes. La estación de Bowie Peak repitió 1,614 mensajes, y el total de mensajes repetidos eran 4,463. (485)

Víctor, en su traducción del diario de Miles favorece las cifras numéricas, seguramente porque es su propio hábito. La página manuscrita de la figura 1 contiene ambas formas: "three" y "3,000".

Puntuación

Las diferencias son notables. En las 590 páginas de las memorias auténticas del general, no hay ni una sola exclamación ni uso de paréntesis. En su diario de sólo nueve entradas en *Seva*, usó paréntesis ocho veces y exclamaciones, dos: "¡Desembarco exitoso en Guánica!" y "¡Misión cumplida!". Curiosamente, Víctor comienza su carta del 21 de octubre de 1978 como Miles, con una exclamación militar, "¡He cruzado el Rubicón!", alusiva a la hazaña de César. (¿Habrá falsificado Víctor las páginas de Miles? Otro rompecabezas.)

Léxico

La palabra *extermination* y las expresiones racistas y de desprecio en

las páginas del diario de Miles en *Seva* no concuerdan con el carácter del general en escritos auténticos. En sus memorias, cuenta que los prisioneros indígenas temían que las tropas fueran a matarlos. En todos los casos Miles les aseguraba que no: "It is not the custom of officers of the United States army to misuse or destroy their prisoners. So long as you are our prisoners we shall not kill you but shall treat you justly" (521) (No es la costumbre de oficiales del ejército de Estados Unidos maltratar o destruir a sus prisioneros. Mientras sean prisioneros nuestros, no los mataremos sino que los trataremos con justicia).

El carácter de Miles descrito por el editor de las memorias, Robert M. Utley, es el de un militar fuerte pero con un respeto para el indígena que trasluce en sus escritos. Según Utley:

En la frontera, Miles demostraba los rasgos que habían marcado sus logros en la Guerra Civil –energía, agresividad, perseverancia, atrevimiento, imaginación e innovación. Adquirió también una profunda simpatía por los indígenas, una comprensión de su cultura y un talento consecuente para tratar con ellos tanto en el concilio como en batalla. Pero junto a estas cualidades desarrolló algunos rasgos personales nada atractivos que le ganaron el desprecio cordial de gran parte de los cuerpos oficiales y disminuyeron un historial por otra parte sobresaliente. (vii, trad. mía)

Los escritos auténticos del general Miles y los testimonios de otros dan la impresión de que era caballeresco con el enemigo pero arrogante con sus iguales. Utley dice que el presidente norteamericano Theodore Roosevelt, con cierta indulgencia, llamó a Miles "un pavo real valiente", además de vanidoso, pomposo y dogmático. La caracterización del general en *Seva* es, obviamente, menos halagadora.

Después de considerables esfuerzos, logré dar con copias de algunos manuscritos de Miles, en su puño y letra –un documento de Miles de 45 palabras, varias copias de su firma y algunas notas –suficiente para permitir un análisis forense de comparación con su letra en *Seva*. Se ven anomalías superficiales, como el modelo europeo que sigue al escribir los números 1 y 7. La figura 2 señala suficientes divergencias para considerar la página manuscrita atribuida a Miles (figura 1) como una impostura. Otro rompecabezas: ¿Quién es el co-conspirador que la redactó?

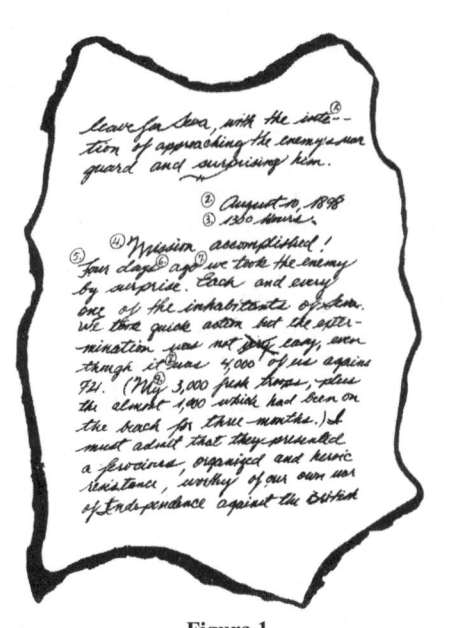

Figura 1

Página del Diario del General Nelson Miles.

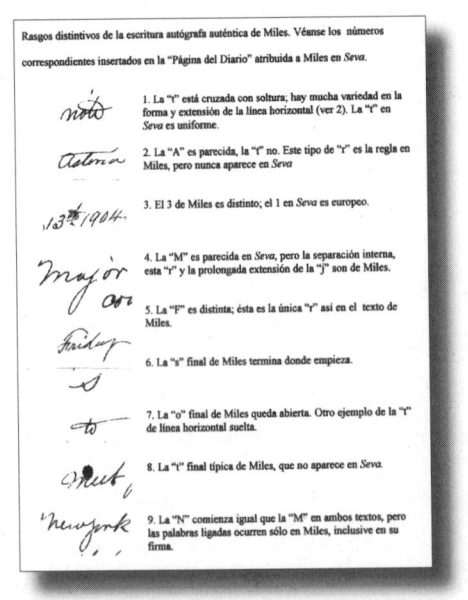

Figura 2

"ESTE ES UN CONTRASTE DE ESTILOS"

Gran parte del arte de un escritor reside en su capacidad de diferenciar el discurso de cada persona y captar su carácter y personalidad, o sea, su estilo. El autor ha de suprimir su propio estilo natural e inventarse otro para cada personaje. El lector percibe las diferencias, quizá, de modo subjetivo, pero la computadora las puede recoger y documentar objetivamente. Un impedimento al análisis comprensivo en el caso de *Seva* es que el texto de Miles se presenta traducido por otro personaje, Víctor, y la sintaxis, semántica y morfología, que son específicas a cada idioma, se alteran en traducción. Como alternativa, se puede analizar características "profundas" de estilo, hábitos a nivel inconsciente que constituyen el "estilo" natural de uno, tan individual como las huellas digitales. Son hábitos de uso transferibles de un idioma a otro, como la tendencia a repetir o variar palabras, alargar o abreviar frases, y segmentar las frases con mucha o poca puntuación.

De *Seva* comparamos muestras de igual extensión de la carta del autor, el diario de Miles y tres muestras de Víctor, de diferentes partes de su intervención, porque es mucho más larga que las otras y cubre un período de casi dos años. Como control, incluimos una muestra auténtica de Miles en inglés.[1] Algunos de los datos más importantes se dan en la tabla a continuación.

RASGO	AUTOR	MILES (Seva)	MILES "real"	VICT. 1	VICT. 2	VICT. 3
I. palabras 1 vez	188	193	**199**	191	172	178
II. palabras 2 veces	29	26	31	38	35	32
III. media/frases	16.3	13.3	**37.3**	14.6	14.6	15.1
IV. desviación est.	13.6	7.8	**19.7**	8.9	8.3	11.2
V. frase más frec.	12	8	**15**	11	10	7
VI. media/segmentos	6.8	7.3	**9.7**	6.1	6.7	6.2
VII. desviación est.	3.4	5.5	**10.3**	3.0	5.7	5.3

[1] Las palabras del "autor" llegan a 455; para poder comparar los otros textos, fue necesario cortarlos en muestras de 455 palabras, comenzando con la palabra escogida por una tabla de números aleatorios. Extrajimos tres muestras diferentes de Víctor usando el mismo método y la página 276 de *Personal Recollections and Observations of General Nelson A. Miles*. El programa utilizado es LitStats (para DOS) de Stephen R. Reimer, Universidad de Alberta, Canadá.

Dos tipos de contraste nos interesan:
(1) entre los tres personajes de Seva y
(2) entre Miles en Seva y el Miles auténtico.

En todas las categorías menos una, el texto auténtico de Miles registra los valores más altos, lo cual sugiere que el verdadero Miles difiere notablemente de todos los escritores en *Seva*. Sorprendentemente, el Miles de *Seva* luce un vocabulario más rico y variado que el autor y Víctor, lo cual se deduce por el número más alto de palabras usadas una sola vez (línea I). López Nieves efectivamente intuyó lo que revela el texto auténtico de Miles: un vocabulario extenso y variado. Pero en lo demás, como se verá, el Miles en *Seva* es una creación de López Nieves, es decir, un personaje de novela. De los tres escritores en *Seva*, el que se expresa con más variedad de frases largas y cortas en *Seva* es "el autor", según su mayor desviación estándar de la media (línea IV). Miles en *Seva* usa frases cortas (línea III) y uniformes, de poca variedad (línea IV). Pero el verdadero Miles es todo lo contrario en su estilo. Muestra la misma intrepidez que Utley dice que exhibió en las guerras de la frontera: su media de 37.3 es más que doble la del "autor", con una desviación amplia de 19.7, indicando frases largas y variadas.

La frase más frecuente (línea V) de Miles en *Seva* es de 8 palabras, sin variar mucho. El verdadero Miles favorece frases largas (línea V) y su prosa es muy variada. La carta del autor no sobresale en su uso de frases. Víctor es más volátil, con algunas inconsistencias, quizá por las vicisitudes de su aventura.

El segmento se mide por el número de palabras entre signos de puntuación. Víctor en las tres muestras usa segmentos (línea VI) más breves que los otros, resultando en una prosa agitada que refleja su estado de ánimo. Más sosegado es el efecto de los segmentos más largos del "autor" y los que atribuye a Miles cuya uniformidad (poca desviación de la media) sugiere un temperamento disciplinado de militar. No obstante, el Miles real es el que demuestra más variedad y no emplea nunca los puntos de admiración o interrogación que están en su diario en *Seva*. En resumen, los personajes de *Seva* se distinguen en rasgos de estilo profundo que se pueden explicar en términos de su caracterización en *Seva*.

El alter ego del autor se expresa con más soltura que sus redactores inventados. El discurso de Víctor es inconsistente, excitable. En *Seva*, Miles no es héroe sino villano exterminador, y dentro de este papel, le va bien el estilo que López Nieves le dio -conciso y exclamatorio, y no reflexivo y elocuente como es el del verdadero general. En *Seva*, Miles escribe con la uniformidad de un militar, la variedad léxica del "autor" y la excitabilidad de Víctor, sin duda por la influencia del uno que le ha traducido (como dice el refrán: "traductor-traidor") y del otro que lo ha creado. En fin, el estilo de cada personaje contribuye a su caracterización convincente como individuo en el papel que desempeña en la obra.

"Estas son conclusiones"

Como hemos visto, *Seva* cabe en distintas categorías, a la vez que no se confina exclusivamente en ninguna. *Seva* no es un espacio novelesco como Macondo de García Márquez o Santa María de Onetti, mundos paralelos donde suceden eventos mágicos y extraños. Prueba los límites de la literatura de ficción sin salir de lo probable. *Seva* no existe en el mapa físico de Puerto Rico, pero sí en Internet, transformado en una sucursal cibernética, de realidad virtual llamada ciudad-seva.com.

En *Seva*, Luis López Nieves dio con la fórmula que buscaba Juan Ponce de León en otro cuento suyo ("La verdadera muerte de Juan Ponce de León", 2000): la eterna frescura. Contra toda expectativa, dado el olvido deliberado que suele ser el destino de las bromas literarias como "castigo" por el engaño y la tomadura del pelo, *Seva* se ha convertido en un clásico. Como tal, su gran atractivo reside precisamente en las diversas lecturas a las que se presta, los destellos que despierta y su portabilidad a distintos lugares y tiempos. ¿Cuáles son los factores que favorecen la pervivencia de *Seva* en el tiempo? Antes que nada, es una obra bien elaborada, una pulida joya de múltiples facetas que en conjunto constituyen su arte. Es a la vez cuento que se hizo novela, historia y ficción, mito y leyenda urbana, novela negra y novela histórica, una broma literaria y un rompecabezas que provoca

y mixtifica. Desde su publicación ha sido una obra que desborda sus páginas, fascina a sus lectores y sigue inspirando poemas, canciones, ensayos, cine y comentario crítico.

OBRAS CITADAS

Aub, Max, *Antología traducida*. Barcelona: Seix Barral, 1972.

Ayala, Francisco. "Reflexiones sobre la estructura narrativa". *Los ensayos. Teoría y crítica literaria*. Madrid: Aguilar, 1972: 396-401, 420-22.

Borges, Jorge Luis. *Ficciones*. Buenos Aires: Alianza Emecé, 1981.

Brunvand, Jan Harold. *Too Good to Be True: The Colossal Book of Urban Legends*. Nueva York: Norton, 2000.

Caro Baroja. *Las falsificaciones de la historia*. 6a ed. Barcelona: Seix Barral, 1992.

Cervantes, Miguel de. *Don Quijote de la Mancha*. Ed. Francisco Rico, Centro Virtual Cervantes. www.cervantesvirtual.com

Dégh, Linda. *Legend and Belief: Dialectics of a Folklore Genre*. Bloomington: Indiana UP, 2001.

Diez Trigo, Sarah. "Ceiba". *Pueblos de Puerto Rico*. Río Piedras: La Biblioteca, 1988. 134-37.

Irizarry, Estelle. *La broma literaria en nuestros días: Max Aub, Francisco Ayala, Ricardo Gullón, Carlos Ripoll, César Tiempo*. Nueva York: Eliseo Torres, 1976.

—. *Informática y literatura: Análisis de textos hispánicos*. Barcelona y San Juan: Proyecto a Ediciones y UPR, 1997.

López Nieves, Luis. *Escribir para Rafa*. Buenos Aires: Ediciones de la Flor, 1987, 1988; Hato Rey: Cordillera, 1998.

—. *La verdadera muerte de Juan Ponce de León*. Hato Rey: Cordillera, 2000.

Maeseneer, Rita de. "El cuento puertorriqueño a finales de los 90: Casas de locas en Marta Aponte Alsina y verdaderas historias en Luis López Nieves ". *Casa de las Américas*, Cuba, julio-septiembre 2001, 112-19.

Marqués, René. *El puertorriqueño dócil y otros ensayos*, 1953-1971. 3a ed. San Juan: Antillana, 1977.

Martínez Justiniano, Consuelo. "*Seva*. De la victoria heroica a la epopeya literaria". *Anales: Revista de Cultura*. 15:15 (1995-1996): 225-31 y www.mipuertorico.com.

—. *Miles, Personal Recollections and Observations of General Nelson A Miles* (Intro. Robert M. Utley; New York: Da Capo Press, 1969. 590 pp, originalmente Chicago: The Werner Co, 1896.

Peñuelas, Marcelino C. *Mito, literatura y realidad*. Madrid: Gredos, 1965.

Pedreira, Antonio S. *Obras*. San Juan: Instituto de Cultura Puertorriqueña, 1970.

Toro Sugrañes, José A. *Almanaque puertorriqueño 1983*. Río Piedras: Edil, 1983.

Vivas Maldonado, J. L. *Historia de Puerto Rico*. Long Island City: L.A. Publishing Co., 1975.

CITAS A PROPÓSITO DE
LUIS LÓPEZ NIEVES Y *SEVA*

"*SEVA* ESTÁ muy bien escrito, es magnífico. Es el trabajo de desmitificación más importante que se ha hecho en este país en las últimas décadas".
José Luis González

"ESTE CUENTO de Luis López Nieves es excelente. *Seva* es una verdadera miniepopeya puertorriqueña".
Emilio Díaz Valcárcel

"HA CAUSADO conmoción y alarma en sectores del país..."
Editorial,
Claridad

"*SEVA* TRASCENDIÓ a lo largo y ancho del país e hizo un paréntesis en los festejos navideños de muchísimas personas... Es increíble lo que un texto literario escrito con imaginación y gran dominio del idioma puede producir... En efecto, *Seva* es un texto literario impecable".
Pedro Zervigón,
El Reportero

"ESTA PIEZA literaria ha sido algo espectacular... *Seva* es la verdad de lo que somos: la verdadera historia del heroísmo puertorriqueño... *Seva* es el *Aleph* de Puerto Rico".
José Manuel Torres Santiago

"ACASO SEA ese Víctor Cabañas que Luis alega conocer quien nos abra los ojos al 1998. Si eso ocurre, entonces ciertamente López Nieves no sólo habrá escrito un genial cuento maldito para concretar un sueño sino que habrá contribuido a reescribir nuestra historia".
Marco Rosado Conde,
El Mundo

"EXCEPCIONALMENTE bien escrito... ingenioso... Hasta profesores de historia compraban copias adicionales para distribuirlas entre sus colegas... *Seva* debe compararse con *Zelig* de Woody Allen".
Fernando Picó,
The San Juan Star

"*SEVA* ES un acierto y yo recomiendo su lectura ... Constituye una invitación a indagar en la historia puertorriqueña... *Seva* es el Macondo de Puerto Rico".
José Antonio "El Profe" Ortiz,
Buenas Noches, Canal 7 TV

"A LA ALTURA de lo mejor que se ha escrito en la cuentística puertorriqueña".
Dr. José Luis Ramos Escobar,
Dramaturgo, Universidad de Puerto Rico

"COMO SIMULACRO, *Seva* adbierte lo que será el despertar berdadero cuando destapemos la istoria colonial de las sábanas tendidas para el sueño... A los que se desebsionaron con el tréinin, ni siquiera sospechan el susto que se yebarán con el ebento".
Joserramón Melendes

"HA CAUSADO conmoción... En nuestras oficinas hemos recibido múltiples llamadas, visitas de profesores universitarios y avisos con terceras personas..."
Luis Fernando Coss,
Director *Claridad* (en *En Rojo*)

"*SEVA* HA causado gran conmoción... Me dicen que la noticia llegó hasta el gobernador Carlos Romero Barceló y que se le estuvo pidiendo que investigara... *Seva* ha causado tantos problemas".
>Jeannette Blasini,
>Estudio 55, WPAB Radio

"*SEVA* LLEGA a un mundo de búsqueda y desconfianza, porque la gente está abierta a cuestionar la historia".
>Dr. José Luis Méndez,
>Decano de Ciencias Sociales Universidad de Puerto Rico

"LÓPEZ NIEVES es el mismo autor que creó una de las pocas sensaciones literarias del ambiente nativo con su relato sobre *Seva*".
>Juan Martínez Capó
>*El Mundo*

"*SEVA*, POR LUIS López Nieves, fue un verdadero 'happening' cultural al salir como artículo periodístico y probó la capacidad de sugestión de la literatura".
>Carmen Dolores Trelles,
>*El Nuevo Día*

"BASTA CON SEÑALAR que ya en 1866 *Seva* era imposible".
>Juan Manuel García Passalacqua,
>*The San Juan Star*

"FIGURAS NOTABLES de las letras y de nuestra vida política expresaron su júbilo... *Seva* creó no sólo conmoción y alarma sino una clarinada sobre el ansia de mitos positivos en el puertorriqueño. Es la historia de un pueblo que hubo de desaparecer porque resistió lo que pasó luego en Guánica".
>Juan Ortiz Jiménez,
>*TeVe Guía*

"[*SEVA*] CAUSÓ una de las mayores polémicas históricas, políticas y sociales de los últimos tiempos en Puerto Rico... La fantasía sustituyó a la realidad".
>Ricardo Vélez Arsuaga,
>Agencia EFE

"ESTE LITERATO [López Nieves] fue catapultado a la fama en todo Puerto Rico con la publicación de... *Seva*. Su título de por sí despertó la curiosidad de todos".

Nelson del Castillo,
Revista *Vea*

"ME PARECE QUE en este caso los literatos se han servido con la cuchara grande y han dejado plantados a los historiadores. En algún momento tendremos que reaccionar con un ensayo sobre la 'sociología' del caso *Seva*".

Dr. Carmelo Rosario Natal,
El Mundo

"EL ÉXITO EN América continental de un cuentista nuestro merece nuestra atención y entusiasmo".

Dra. Yvonne Ochart,
Claridad

"LA TRAGEDIA DE *Seva* indignó a muchos puertorriqueños. En Ceiba apareció una cruz conmemorativa frente a Roosevelt Roads, con la consigna '¡Seva Vive!' Algunos periodistas de prensa, radio y televisión fueron asignados a investigar los sucesos".

Nelson Gabriel Berríos,
El Mundo

"EL LECTOR (pueblo) se convierte en autor inconsciente de esta leyenda o narración, y podemos decir que *Seva* pasa a ser una creación del pueblo de Puerto Rico, emulando así a Troya, Numancia, Macondo o Bahía de Cochinos... Surge *Seva* del vacío histórico de nuestro pueblo... Es un deseo colectivo e inconsciente avivado por López Nieves de un pueblo que en el fondo quisiera poseer su identidad de una vez por todas".

Dra. Carmen Ana Sierra Echavarría
Universidad de Madrid, España

"HASTA *SEVA* la literatura seguía siendo literatura. Hoy, ciertamente, la ha desbordado. El escamoteo de la ficción tras una presunta investigación histórica ha dado paso a una patente realidad: la biografía de un pueblo, la historia de éste, es también la de sus deseos".

Dra. Áurea María Sotomayor,
El Mundo

"CUANDO YO era niño en mi pueblo natal de Humacao, a principios del decenio de 1920, don Vicente López Martínez, anciano que frisaba los 90 años, me corregía en ocasión que yo mencionaba el pueblo de 'Ceiba'. Me decía: 'Ceiba' no, 'Seva', igual que el pueblito español".

Dr. Olaguibect López–Pacheco, *Boletín Nacional*

"UN NOTABLE exponente de la nueva literatura portorriqueña".

Revista *Siete Días*, Buenos Aires

"UN CUENTISTA de quilates que nos alegramos en descubrir".

Eduardo G. Wilde, Revista *Galería*, Argentina

"LÓPEZ NIEVES resulta un autor valioso al que habrá que seguir con particular cuidado".

Carlos Roberto Morán,
La Capital, Rosario, Argentina

"A LA LABOR de desmitificador habría que agregarle a López Nieves la de incorporador y reactivador de un nutrido grupo de puertorriqueños al debate de la identidad cultural y nacional. López Nieves ha contribuido una de las páginas más significativas a la historia de ese debate y una de las páginas más memorables a los anales de las letras puertorriqueñas".

Myrna García Calderón
Revista de Crítica Literaria Latinoamericana, Lima, Perú

"LA LECTURA emocional de *Seva* provocó un sentimiento desiderativo en la clase de opinión, y el relato de López Nieves entró en la leyenda polémica con la verdad de su mentira".

J.J. Armas Marcelo, ABC, Madrid, España

"ESTE SINGULAR escritor, seducido por la idea de la literatura como espacio fundante, se ha propuesto, más bien, definir la escritura como Picasso definió la pintura: 'Es una mentira que nos ayuda a entender la verdad'".

Dra. Ana Sierra,
Seton Hall University, *El Nuevo Día*

"LUIS LÓPEZ Nieves le ha dado al Puerto Rico moderno una mitología que perdurará y una narrativa que desafía las barreras de la verdad y la ficción".

Dra. Estelle Irizarry,
Georgetown University, *The San Juan Star*

"... A DIFERENCIA de los novelistas liberales del siglo diecinueve, López Nieves no tiene como meta denunciar a sus contrincantes conservadores mediante la denuncia de sus antepasados coloniales. Su propósito es más bien denunciar a tirios y troyanos, con toques paródicos, por su extremismo".

Dr. Seymour Menton,
El cuento hispanoamericano, 7 ed.

BIBLIOGRAFÍA

1. ARTÍCULOS Y CAPÍTULOS DE LIBROS

Armas Marcelo, J.J. "Un país de cuatro pisos". *ABC* (Madrid), 29 octubre 1993, p.3

Conde, Diego, Rafael Corretjer, Javier Inclán y Leonardo Velázquez. "Luis López Nieves: Creador de fantasías tan reales como la vida propia", *Víspera*, Año 8, Núm.10, 1999, Río Piedras, Puerto Rico, 18-21.

Duchesne, Juan Ramón. "López Nieves, Luis: Seva", *Revista de crítica literaria latinoamericana*, Lima, Perú, Núms. 21-22, 1986.

García, Aimeé. "López Nieves, Luis: Seva", *Nota Crítica: Boletín de Reseñas*, Universidad de América, Bayamón, Puerto Rico, noviembre 1991, p.2.

García Calderón, Myrna. "Seva o la reinvención de la identidad nacional puertorriqueña", *Revista de crítica literaria latinoamericana*, año XX, Núm. 39, Lima, Perú 1er semestre 1994, 199-215.

—."Nuevos mitos por viejos: Técnicas de 're-mitificación' histórica en *Seva* de Luis López Nieves", *Inti: Revista de Literatura Hispánica*, Rhode Island, Estados Unidos, Número 46-47, otoño 1997-primavera 1998, 127-38.

Jaimes, Rubén Darío. "Luis López Nieves: trocador de historias y merodeador del Siglo de Oro caribeño", *Actual*, Vol. 55-56, Mérida, Venezuela, junio 2005, 105-17.

—. "La otredad en la mirada". VI Coloquio de Literatura Caribeña, Caracas, 22 al 24 de mayo de 2002, Fondo Editorial de Humanidades y Educación, Universidad Central de Venezuela, Caracas, 2002, 293 (incluye conferencia: "La llegada y Seva: el diálogo de la ficción histórica y la identidad nacional puertorriqueña", Rubén Darío Jaimes).

Maeseneer, Rita de. "El cuento puertorriqueño a finales de los 90: Casas de locas en Marta Aponte Alsina y verdaderas historias en Luis López Nieves", *Casa de las Américas*, Cuba, julio-septiembre 2001, 224, 112-19.

Martínez Justiciano, Consuelo. *"Seva*: De la victoria heroica a la epopeya literaria", Consuelo Martínez Justiniano, *Anales: Revista de Cultura*, Año XV, Núm. XV, 1995-1996, 225-31.

Martínez-San Miguel, Yolanda. "Hacia unos estudios culturales latinoamericanos: Algunas notas sobre el impacto en la enseñanza", Universidad de Princeton, *Revista de Ciencias Sociales*, N.1/4 5, Junio de 1998, Río Piedras, Puerto Rico, 113-35.

Pabón Ortega, Carlos E. "El 98 en el imaginario nacional: *Seva* o la 'nación soñada'", 547-57. (Artículo en el libro *La nación soñada: Cuba, Puerto Rico y Filipinas ante el 98*, Consuelo Naranjo, Miguel a Puig-Samper y Luis Miguel García Mora, editores), Ediciones Doce Calles, Madrid, España, 1996, 893.

Palau Suárez, Awilda. *25 años de Claridad*, Editorial de la Universidad de Puerto Rico, Puerto Rico, 1992, (247-49)

Salgado, César A. "Reinvenciones/Reinvasiones del 98 en la narrativa ochentista: *Seva* vs *La llegada*", *Postdata*, San Juan de Puerto Rico, septiembre de 1999, Núm. 14, 47-55.

2. TESIS

Huyghens, Ann. "El cuento 'La verdadera muerte de Juan Ponce de León' de Luis López Nieves", Universiteit Antwerpen (Universidad de Amberes, Bélgica), 2004 (Tesina dirigida por la doctora Rita De Maeseneer.)

CRONOLOGÍA

AÑO	LUIS LÓPEZ NIEVES	CONTEXTO HISTÓRICO
1950	El 17 de enero de 1950 Luis López Nieves nació accidentalmente en Wáshington, DC, de padres puertorriqueños. Su familia vivía en Alexandria, Virginia.	Inicio de la guerra en Corea. **PR**: Atentado en Blair House, en la capital de la nación norteamericana contra el Presidente Truman por dos nacionalistas puertorriqueños de Nueva York, matando un guardia.
1952		Revolución Nacional en Bolivia. Estados Unidos interviene en la guerra de Corea. Estalla la Guerra Fría. **PR**: Constitución firmada el 25 de julio creando el Estado Libre Asociado como forma de gobierno. Ola de emigración puertorriqueña de casi 70 mil, mayormente a Nueva York.
1954		Vacuna contra la poliomielitis desarrollada por Salk. Gran Bretaña abandona la zona del Canal de Suez y de Sudán. Rusia reconoce soberanía de la República Democrática de Alemania. La República Federal Alemana entra en la OTAN. **PR**: Atentado en el Congreso de EE.UU. por nacionalistas puertorriqueños Lolita Lebrón, Andrés Figueroa Cordero, Rafael Cancel Miranda e Irving Flores deja a cinco congresistas heridos.
1957	Su familia regresa a Puerto Rico y se establece en la capital: San Juan.	Rusia lanza Sputnik, primer satélite de órbita al espacio. USSR prueba su primer cohete intercontinental. El presidente de EE.UU. Eisenhower, manda tropas a Little Rock, en el estado de Arkansas, para proteger la integración racial en las escuelas del país.
1958		
1959	Cursa el cuarto grado de primaria. Sufre regaños continuos debido a su indisciplina. Lo someten a evaluación sicológica y concluyen que	Tras la revolución en Cuba, asume el poder Fidel Castro y en Colombia los partidos liberal y conservador firman el llamado "Pacto de Sitges" que atenúa un poco la violencia desata-

Literatura: García Márquez: *Ojos de perro azul*. Neruda: *Canto general*. Onetti:*La vida breve*. **Premio Nobel**: Bertrand Russell, Inglaterra. Mueren George Orwell y George Bernard Shaw. **Cine**: Buñuel: *Los olvidados*. **PR**: Tomás Blanco: *Los vates* (cuentos). Ricardo Alegría: *Historia de nuestros indios* (ensayos).

1950

Literatura: Mejía Vallejo: *El día señalado*. Octavio Paz: *Las peras del olmo*. Muere Gabriela Mistral. **Premio Nobel**: Albert Camus, Fracia. **Cine**: K. Vidor: *Guerra y paz*. D. Lean: *El puente sobre el río Kwai*. Bergman: *Fresas salvajes*. **PR**: Cesáreo Rosa Nieves: *Aguinaldo lírico de la poesía puertorriqueña*.

1957

Literatura: Arguedas: *Los ríos profundos*. García Márquez: *El coronel no tiene quien le escriba*. **Premio Nobel**: Boris Pasternack, que la USSR no lo deja aceptar. **Cine**: Bergman: *El rostro*. Carpentier: *Viaje a la semilla*. Fuentes: *La región más transparente del aire*. **PR**: Primer Festival del Drama Puertorriqueño. René Marqués: *Los soles truncos*, drama. Se publica la *Revista del Instituto de Cultura Puertorriqueña*.

1958

Literatura: Onetti: *Una tumba sin nombre*. Fuentes: *Las buenas conciencias*. Neruda: *Cien sonetos de amor*. Golding: *Caída libre*. Grass: E*l tambor de hojalata*. Williams: *Dulce pájaro de la juventud*. Steinbeck: *La perla*. **Premio Nobel**: Salvatore Quasimodo, Italia. **Cine**: Wyler: *Ben-Hur*. **PR**: Francisco Arriví: *Veji-

1959

tiene una edad mental de 14 años y capacidad para cursar el octavo grado. Debido a que sólo tiene nueve años de edad, lo saltan del cuarto al sexto grado.

da con "el Bogotazo" en 1948. El Papa Juan XXIII anuncia la convocatoria de un concilio ecuménico a partir del cual la Iglesia católica se restructuraría. **PR**: Movimiento Pro-Independencia fundado. Juan Mari Bras y César Abreu Iglesias fundan el periódico *Claridad*.

1962   Lector voraz y nocturno. Su madre le apaga la luz de noche, pero él vuelve a prenderla cuando ella se ha dormido. Lee obsesivamente a escondidas, hasta las cinco o seis de la mañana.

Crisis de los cohetes rusos en Cuba. Rusia decide instalar bases de lanzamiento para cohetes intercontinentales. Ante la amenaza de Estados Unidos de responder con guerra total, los barcos soviéticos regresan a su país, evitándose así una tercera guerra mundial. Inician las sesiones del Concilio Vaticano II. Creación de la organización política nicaragüense F.S.L.N. (Frente Sandinista de Liberación Nacional).

1963   Escribe su primer y único poemario, que nunca le muestra a nadie. Durante seis meses lo lleva siempre consigo, en el bolsillo del pantalón. Pero lee la novela *El extranjero*, del autor francés Albert Camus, y decide que ya no será poeta, sino prosista. Echa el poemario en la basura.

Estados Unidos y Unión Soviética firman tratado de prohibición de pruebas nucleares. Asesinado el presidente John F. Kennedy. Marcha en Washington donde Martin Luther King presenta su famoso discurso "Yo tengo un sueño". Friedan publica *La mística femenina*, que impulsa el movimiento feminista.

1965   Comienza estudios universitarios a los 15 años de edad, en la Universidad de Puerto Rico, recinto de Río Piedras. Pasa la mayor parte del año leyendo a los escritores clásicos y jugando ajedrez. Detesta las clases de ciencias y matemáticas.

Éxito comercial de la nueva computadora IBM-360. Secesión de Rhodesia. Las primeras tropas de combate de Estados Unidos llegan a Vietnam. La Marina estadounidense aterriza en la República Dominicana donde luchan rebeldes y el ejército dominicano. Mueren: Winston Churchill, TS Elliot. **PR**: muere Pedro Albizu Campos, líder nacionalista puertorriqueño.

1966   A los 16 años de edad, tras completar su primer año de estudios universitarios, decide convertirse en bohemio. Se fuga de Puerto Rico con su novia. Se establecen en Greenwich Village, que en esa

Primera Conferencia Tricontinental, en La Habana. En China, Revolución Cultural Proletaria.

gantes (drama). Pedro Juan Soto: *Usmaíl* (novela). Enrique Laguerre: *El laberinto* (novela caribeña). Se inaugura el Museo de Arte de Ponce. Pablo Casals crea la Orquesta Sinfónica de Puerto Rico. Periódico independentista *Claridad* empieza a publicarse semanalmente.

Literatura: Carpentier: *El siglo de las luces*. Fuentes: *La muerte de Artemio Cruz*. Onetti: *El infierno tan temido*. Albee: *¿Quién le teme a Virginia Woolf?* Kundera: *Los propietarios de las llaves*. Nabokov: *Pálido Juego*. García Márquez: *Los funerales de la Mamá Grande*. Aurelio Arturo: *Morada al Sur*. Mueren Ernest Hemingway (por suicidio), William Faulkner y Hermán Hesse. **Premio Nobel**: John Steinbeck, EE.UU. **Música**: Stravinsky: *Abraham e Isaac*. **PR**: Francisco Matos Paoli: *Canto de la locura* (poemas).   1962

Literatura: Vargas Llosa: *La ciudad y los perros*. Cabrera Infante: *Un oficio en el siglo XX*. Sábato: *El escritor y sus fantasmas*. Rogelio Echavarría: *Transeúnte*. Böll: *Opiniones de un payaso*. Mueren Felisberto Hernández y Aldous Huxley. Mario Vargas Llosa recibe el premio Biblioteca Breve de la editorial Seix-Barral con su novela *La ciudad y los perros*. Borges gana el premio del Fondo Nacional de las Artes por su libro *Ficciones*. **Premio Nobel**: Giorgos Seferis, Grecia.   1963

Literatura: Benedetti: *Gracias por el fuego*. Graves: *Colección de poemas*. Mishima: *El marino que perdió la gracia del mar*. Marechal: *El banquete de Severo y Arcángelo*. Benedetti: *Julio Cortázar, un narrador para lectores cómplices*. Mueren William Somerset Maugham y T.S. Eliot. Borges comparte con Samuel Beckett el premio Formentor. **Premio Nobel**: Michail Aleksandrovich Sholokhov, USSR. **PR**: Manuel Méndez Ballester: *Bienvenido, don Goyito* (drama).   1965

Literatura: Vargas Llosa: *La casa verde*. Lezama Lima: *Paradiso*. Donoso: *Este domingo*. Roa Bastos: *El baldío*. Cabrera Infante: *Tres tristes tigres*. Capote: *A sangre fría*. Foucault: *Las palabras y las cosas*. Breton: *Persona*. Mueren Hernando Téllez y André Breton. **Premio Nobel**: Nelly Sachs, Alemania. **PR**: Lic. Jaime Benítez, desde 1942 Rector de la Universidad de Puerto Rico, es nombrado su presidente, puesto que ocupará hasta 1972.   1966

época era el barrio artístico y bohemio de Nueva York.

1967   Viaja por tres continentes, hasta el   Terremoto destruye a Caracas. Destruida la
        1970.   población de Bon Suc en Vietnam. Inglaterra
                                                 nacionaliza la industria del acero. Guerra de
                                                 los seis días en el conflicto árabe-israelí. Mue-
                                                 re el guerrillero argentino-cubano Ernesto
                                                 "Che" Guevara en Bolivia. Primer transplante
                                                 de corazón humano. **PR**: Primer plebiscito del
                                                 status --entre estadidad, independencia o Esta-
                                                 do Libre Asociado-- otorga 60% de los votos a
                                                 éste último, ya constituido desde 1952.

1968   Creación del Pacto Andino: Perú, Ecuador,
                                                 Bolivia, Chile, Colombia y Venezuela. Omar
                                                 Torrijos derroca al Presidente Arias. Congreso
                                                 Eucarístico Internacional. Inglaterra concede
                                                 independencia a Mauricio. La República Fede-
                                                 ral Alemana aprueba por plebiscito una nueva
                                                 constitución. Tropas del pacto de Varsovia inva-
                                                 den la República Socialista de Checoslovaquia.
                                                 Asesinados Martin Luther King y el senador
                                                 Robert Kennedy. **PR**: Luis A.Ferré, estadista,
                                                 elegido gobernador de Puerto Rico.

1969   Astronautas norteamericanos realizan el primer
                                                 viaje a la luna. Willy Brandt inicia la Ostpoli-
                                                 tik, política de apertura, a los países del Este.
                                                 Chiang Ching, esposa de Mao Tsé-tung es
                                                 nombrada miembro del Politburó.

1970   A los 20 años de edad regresa a la   China Popular entra a formar parte de la ONU.
        Universidad de Puerto Rico, deci-   Biafra se rinde en su guerra para separarse de
        dido a terminar sus estudios.   Nigeria. Rhodesia se separa de la corona bri-
                                                 tánica como república.

1970-   Participa activamente en el movi-
1973   miento estudiantil y se convierte
        en militante independentista.

Literatura: Fuentes: *Cambio de piel*. Donoso: *El lugar sin límites*. Macedonio Fernández: *Museo de la novela de la Eterna* (póstumo). Roa Bastos: *Los pies sobre el agua*. Golding: *La pirámide*. Kundera: *La broma*. Beauvoir: *La mujer rota*. García Márquez: *Cien años de soledad*. Marechal: *Historia de la calle Corrientes*. Mueren Ciro Alegría, Oliveiro Girondo y Carson McCullers. **Premio Nobel**: Miguel Ángel Asturias, Guatemala. Vargas Llosa recibe el premio Rómulo Gallegos por *La casa verde*. **Cine**: Huston: *Reflejos en un ojo dorado*. Bergman: *La hora del lobo*.

1967

Literatura: Neruda: *Las manos del día*. Vargas Llosa: *Los cachorros*. Yourcenar: *El alquimista*. Mishima: *Caballos desbocados*. García Márquez y Vargas Llosa: *La novela en América Latina: diálogo*. Muere John Steinbeck. *Cambio de piel* de Carlos Fuentes gana el premio Biblioteca Breve. **Premio Nobel**: Yasunari Kawabata, Japón.

1968

Literatura: Borges: *Elogio de la sombra*. Cortázar: *Último Round*. Neruda: *Fin de mundo*. Vargas Llosa: *Conversaciones en la catedral*. Graham Greene: *Viajes con mi tía*. Auden: *Ciudad sin murallas*. Foucault: *La arqueología del saber*. Nabokov: *Ada o el ardor*. Octavio Paz: *Conjunciones y disyunciones*. **Premio Nobel**: Samuel Beckett, Irlanda. **PR**: Pedro Juan Soto: *El francotirador* (cuentos).

1969

Literatura: Borges: *El informe de Brodie*. Neruda: *Las piedras del cielo*. Donoso: *El obsceno pájaro de la noche*. Kundera: *Los amores ridículos*. Mishima: *El mar de la fecundidad*. García Márquez: *Relato de un náufrago*. Marechal: *Megafón o la guerra*. **Premio Nobel**: Aleksandr Solzhenitsyn, Rusia. Mueren Leopoldo Marechal, John Dos Passos, E. M. Forster, Yukio Mishima y Bertrand Russell. **PR**: Nilita Vientós Gastón empieza a publicar la revista cultural *Sin Nombre*, cuya antecedente fue *Asomante*.

1970

1971

Tribunal Supremo de EE.UU. aprueba el uso de autobuses para lograr balances raciales en las escuelas. **PR**: Presencia militar norteamericana en la isla puertorriqueña de Culebra. Juan Mari Bras dirige el nuevo Partido Socialista Puertorriqueño que reemplaza el Movimiento Pro-Independencia.

1972

Inglaterra firma tratado de adhesión a la Comunidad Económica Europea. Once atletas de Israel asesinados en Munich durante las Olimpiadas. Terremoto destruye a Managua. Se descubre entrada ilegal en las oficinas centrales del Partido Demócrata en Watergate, que es el comienzo del escándalo. **PR**: Rafael Hernández Colón elegido gobernador de Puerto Rico por primera vez.

1973

Se gradúa de licenciado en Estudios Generales, con concentraciones en Literatura Comparada y Estudios Hispánicos. Luego se traslada a la State University of New York at Stony Brook (Universidad del Estado de Nueva York en Stony Brook), donde empieza sus estudios de Maestría en Estudios Hispánicos becado por la Fundación Ford (Ford Foundation Fellowship). Describe el Departamento de Estudios Hispánicos como una "Latinoamérica en el exilio". Estudia con prominentes profesores y escritores, tales como el chileno Pedro Lastra, la puertorriqueña Iris Zavala, el español Vicente Lloréns y otros.

Publica su primer cuento: "Ese maldito hielo", *Claridad* (*En Rojo*), San Juan de Puerto Rico, 25 noviembre 1973, p.18.

El Tribunal Supremo de Estados Unidos legaliza el aborto. En Chile, mediante golpe militar, Augusto Pinochet derroca el gobierno socialista de Salvador Allende. Perón presidente de Argentina. En Estados Unidos estalla el escándalo Watergate. El tratado de París finaliza la intervención americana en Vietnam. Las dos Alemanias ingresan a la ONU. Guerra de Octubre, los estados árabes atacan Israel.

1974

En diciembre termina la Maestría

Se agudiza la crisis social en Argentina. Como

Literatura: Vargas Llosa: García Márquez, *Historia de un deicidio*. Forster: *Maurice* (póstuma). Böll: *Teatro de un grupo con señoras*. **Premio Nobel**: Pablo Neruda, Chile. **Música**: Muere Stravinsky. **PR**: Emilio Díaz-Valcárcel: *Figuraciones en el mes de marzo* (novela de la "Nueva Narrativa" hispanoamericana).

1971

Literatura: Donoso: *Historia general del "Boom"*. Sartre: *El idiota de la familia*. Roa Bastos: *Cuerpo presente y otros textos*. Beauvoir: *Al fin de cuentas*. Octavio Paz: *El nuevo festín de Esopo*. C. Alegría: *Lázaro* (póstumo). Muere Ezra Pound. **Premio Nobel**: Heinrich Böll, Alemania.

1972

Literatura: Onetti: *La muerte y la niña*. Cortázar: *Libro de Manuel*. Vargas Llosa: *Pantaleón y las visitadoras*. Octavio Paz: *El signo y el garabato*. Kundera: *La vida está en otra parte*. Yourcenar: *Recuerdos piadosos*. Canetti: *La provincia del hombre*. Mueren Pablo Neruda y W. H. Auden. **Premio Nobel**: Patrick White, Australia, y Eyvind Johnson, Suecia. **Arte**: Mueren el pintor Pablo Picasso y el músico Pablo Casals.

1973

Literatura: Neruda: *Confieso que he vivido* (póstuma). Macedonio Fernández:

1974

en Estudios Hispánicos en la State University of New York at Stony Brook.

Publica el cuento "Una pregunta, ¿oquey?", *Logos*, Revista de Humanidades, Universidad del Valle, Cali, Colombia, Núm. 8, enero 1974, pp. 102-103.

Publica el cuento "Ese maldito hielo", *Tláloc*, Stony Brook, Nueva York, Primavera de 1974, Núm. 6, pp. 88-89.

Publica el cuento "Compañuelo", *Claridad* (*En Rojo*), San Juan de Puerto Rico, 9 junio 1974, pp.22-23.

Publica el cuento "Otro trago", *Zona de carga y descarga,* San Juan de Puerto Rico, Año 2, Núm. 7, septiembre 1974, p. 8.

Publica el poema en prosa "Insulto II", *Zona de carga y descarga*, San Juan de Puerto Rico, Año 2, Núm. 7, septiembre 1974, p. 32.

1975   En enero empieza estudios doctorales en Literatura Comparada, en la misma universidad (SUNY).

Publica el cuento "Ellos dicen que no saben nada", *Claridad* (*En Rojo*), San Juan de Puerto Rico, 14 junio 1975, pp.14-15.

Publica el cuento "Ellos dicen que no saben nada", *Tláloc*, Stony Brook, Nueva York, Otoño de 1975, Núm. 7, pp. 27-29.

resultado del Watergate, el presidente Nixon es obligado a renunciar. El gobierno inglés declara estado de emergencia. Mueren Juan Domingo Perón y Georges Pompidou.

El príncipe Juan Carlos de Borbón es coronado rey de España. Tropas norteamericanas se retiran de Vietnam. Inglaterra reconoce los regímenes de Camboya y de Vietnam del Sur.

Adriana Buenos Aires (póstuma). Cabrera Infante: *Vista del amanecer en el trópico*. Octavio Paz: *El mono gramático*. Sábato: *Abaddón, el exterminador*. Böll: *El honor perdido de Katharina Blum*. Canetti: *Cincuenta caracteres*. **Premio Nobel**: Harry Martinson, Suecia. Mueren Miguel Ángel Asturias, el cineasta Vittorio de Sica, el pintor David Alfaro Siqueiros. **PR**: Edgardo Rodríguez-Juliá: *La renuncia del héroe Baltasar*, novela.

Literatura: Carpentier: *Concierto barroco*. Fuentes: *Terra Nostra*. Mario Rivero: 1975
Baladas y otros poemas. **Premio Nobel**: Eugenio Montale, Italia. Muere Arnold
Joseph Toynbee, historiador británico.

Publica el poema en prosa "Insulto III", *Cara o Cruz*, Stony Brook, Nueva York, Vol. 1, Núm. 1, septiembre de 1975, p. 5.

1975-   Corresponsal del periódico *Claridad*. Publica múltiples artículos, reportajes y entrevistas.
1977

1976   En mayo termina los créditos del doctorado en Literatura Comparada. Regresa a Puerto Rico y estudia a tiempo completo para los exámenes comprensivos.

Golpe militar en Argentina. Reunificación de Vietnam del Norte y Vietnam del Sur. Muere Mao Tsé-tung. Es detenida su esposa Chiang Ching, juzgada y condenada a muerte. **PR**: Fundación del Ateneo Puertorriqueño, institución cultural importante. Carlos Romero Barceló elegido gobernador de Puerto Rico.

1977   Viaja brevemente a Nueva York para tomar los exámenes doctorales, los cuales aprueba.

Encuentro histórico en Israel del presidente Sadat de Egipto y el primer ministro israelí Begin para conseguir la paz en el Medio Oriente.

Publica el cuento "El funeral de Rosaura", *En el país de los tuertos*, Arecibo, Puerto Rico, Año 1, Núm. 2, octubre de 1977, pp. 29-31.

Publica el cuento "Verticalmente hablando", *Momento*, San Juan de Puerto Rico, 5 noviembre 1977, p. 11.

1977-   Director de las páginas literarias del periódico *Momento*, San Juan de Puerto Rico. Escribe una columna semanal: "Crónica Marginal".
1978

Profesor de Español en la Universidad Interamericana en Hato Rey.

1978   Publica el cuento "El funeral de Rosaura", *Claridad (En Rojo)*, San Juan de Puerto Rico, 3 febrero 1978, p.7.

Muere el papa Pablo VI. Es asesinado Pedro Joaquín Chamorro, director del diario *La Prensa* de Managua. **PR**: Asesinato de dos

Literatura: Vargas Llosa: *La orgía perpetua*. Cabrera Infante: *Exorcismos de estilo*. Foucault: *La voluntad del saber*. Kundera: *El vals de los adioses*. **Premio Nobel**: Saúl Bellow, EE.UU. Muere el cineasta Luchino Visconti. **PR**: Luis Rafael Sánchez: *La guaracha del macho Camacho*. Rosario Ferré: *Papeles de Pandora*.

1976

Literatura: Vargas Llosa: *La tía Julia y el escribidor*. Lezama Lima: *Oppiano licario* (póstuma). Yourcenar: *Archivos del Norte*. **Premio Nobel**: Vicente Aleixandre, España. Muere Vladimir Nabokov. **Cine**: Mueren Charlie Chaplin y Roberto Rossellini. **PR**: Ricardo Alegría funda y dirige el Centro de Estudios Avanzados de Puerto Rico y el Caribe en el Viejo San Juan.

1977

Literatura: Carpentier: *La consagración de la primavera*. Fuentes: *La cabeza de la hidra*. Darío Jaramillo: *Tratado de Retórica*. Graham Greene: *El factor humano*. **Premio Nobel**: Isaac Bashevis Singer, Polonia y EE.UU.

1978

jóvenes independentistas en Cerro Maravilla, por instigación policíaca, que resonará por muchos años después.

1978-   Profesor de Ética en la Universidad
1979   de Puerto Rico en Río Piedras.

1979   Vuelve a Nueva York para termi-
         nar la tesis doctoral. Trabaja como
         Editor del Northeast Center for
         Curriculum Development del De-
         partamento de Educación. Edita los
         libros de texto en español.

Guerra civil en Nicaragua, el F.S.L.N. derroca a Anastasio Somoza y forma un nuevo gobierno dirigido por la Junta de Reconstrucción. Estados Unidos restablece relaciones con China. El Sha de Irán es depuesto y exiliado. Irán se convierte en República islámica y tiene como gobernante al Ayatollah Khomeiny. **PR**: El Presidente Carter otorga clemencia a los cuatro nacionalistas presos desde 1954 por el atentado en Blair House en 1950. Juegos Panamericanos se celebran en San Juan de Puerto Rico.

1980   Se recibe como doctor en Filoso-
         fía y Letras con especialidad en
         Literatura Comparada. Estable-
         ce un precedente al ser el primer
         estudiante en entregar una novela
         como tesis doctoral: *La felicidad
         excesiva de Alejandro Príncipe.*
         Regresa a Puerto Rico, donde se
         establece definitivamente.

Asesinado Anastasio Somoza en Paraguay. Guerra irano-iraquí. Ronald Reagan es elegido presidente de Estados Unidos. **PR**: El Congreso Norteamericano recomienda dejar el uso de la isla de Vieques para entrenamiento militar. Muere Luis Muñoz Marín, que había sido fundador del Partido Popular Democrático y primer gobernador elegido por los puertorriqueños, en 1948. Carlos Romero Barceló elegido gobernador otra vez por poco margen.

1980-   Director del Departamento de Hu-
1981   manidades y Catedrático Auxiliar
         de Español, Universidad Interame-
         ricana en Fajardo.

1980-   Traductor independiente.
2000

1981-   Director del Instituto de Idiomas y Ca-
1984   tedrático Auxiliar de Español, Puerto
         Rico Junior College en Río Piedras.
         Dirige su primer taller de cuento.

Literatura: Carpentier: *El arpa y la sombra*. Onetti: *Dejemos hablar al viento*. Cabrera Infante: *La Habana para un infante difunto*. Donoso: *Casa de campo*. **Premio Nobel**: Odysseas Elytis, Grecia. **Arte**: Dalí: *A la búsqueda de la cuarta dimensión*. *PR*: Muere dramaturgo y cuentista René Marqués.

1979

Literatura: Fuentes: *Una familia lejana*. Canetti: *La antorcha al oído*. Mueren Alejo Carpentier y Jean-Paul Sartre. Marguerite Yourcenar, primera mujer elegida miembro de la Academia Francesa. **Premio Nobel**: Czeslaw Milosz, Polonia y EE.UU. **PR**: José Luis González: *El país de cuatro pisos y otros ensayos*. La película *Dios los cría*, Jacobo Morales, premiada en Biarritz.

1980

Desde   Ha dirigido talleres de cuento en   Atentado contra el Papa Juan Pablo II. Mitte-
1981   las más importantes instituciones   rrand es elegido presidente de Francia. Muere
         culturales y académicas de Puerto   Omar Torrijos. **PR**: El grupo revolucionario
         Rico, tales como la Universidad   Los "Macheteros" destruyen once aviones de
         del Sagrado Corazón, la Universi-   la Guardia Nacional en Puerto Rico.
         dad de Puerto Rico, la Universidad
         Interamericana, el Sistema Univer-
         sitario Ana. G. Méndez, el Instituto
         de Cultura Puertorriqueña, el Ate-
         neo Puertorriqueño y el Departa-
         mento de Educación, entre otros.
         También ha sido profesor visitante
         en la Universidad de Massachu-
         setts en Boston, donde dirigió un
         taller de cuento.

1982   Guerra de las Malvinas. Masacre en los cam-
                                                  pos de refugiados palestinos por libaneses fa-
                                                  langistas. Los palestinos salen de Beirut.

1983   Publica el cuento "Seva", *Clari-*   En Argentina Raúl Alfonsín es elegido pre-
         dad (*En Rojo*), San Juan de Puerto   sidente. Reunión de Países No Alineados en
         Rico, 23 de diciembre de 1983, pp.   Nueva Delhi. Estados Unidos instala misiles
         17-24.   en suelo europeo como respuesta a la presen-
                                                  cia de misiles soviéticos. Presidente Ferdinand
                                                  Marcos, es asesinado en Manila. Explosión
                                                  terrorista mata a 237 marinos de Estados Uni-
                                                  dos en Beirut y en la isla caribeña de Grenada.
                                                  PR: San Felipe del Morro, la masiva fortaleza
                                                  a la entrada de la Bahía de San Juan construida
                                                  por los españoles en el siglo XVI es reconoci-
                                                  da por las Naciones Unidas como monumento
                                                  de Patrimonio Mundial.

1983-   Fundador y miembro de la Junta
1984   de Directores de la revista literaria
         Cupey, Río Piedras, Puerto Rico.

         Fundador y presidente de la Junta
         Editora de la revista cultural *Talle-*
         res, Río Piedras, Puerto Rico.

Literatura: Vargas Llosa: *La guerra del fin del mundo*. Fuentes: *Agua quemada.*   1981
Donoso: *El jardín de al lado*. **Premio Nobel**: Elías Canetti, Bulgaria. **PR**: Ana
Lydia Vega y Carmen Lugo Filippi: *Vírgenes y mártires*, cuentos.

Premio Nobel: Gabriel García Márquez, Colombia. **PR**: Ana Lydia Vega: *Encan-*   1982
caranublado y otros cuentos de naufragio.

Literatura: Darío Jaramillo: *La muerte de Alec*. Muere Tennessee Williams.   1983
Premio Nobel: William Golding, Inglaterra. Muere el pintor Joan Miró.

1984	La Editorial Cordillera publica *Seva*, su primer libro, en San Juan de Puerto Rico. Gran éxito de ventas.	Daniel Ortega, coordinador de la Junta de Reconstrucción, asume la presidencia de Nicaragua. Ronald Reagan, reelegido presidente de Estados Unidos. Atentado a Margaret Thatcher. Asesinada Indira Gandhi. **PR**: El Papa Juan Pablo II visita Puerto Rico. Rafael Hernández Colón es elegido gobernador de Puerto Rico.
	Publica el cuento "El lado oscuro de la luna", Revista *Cupey*, Río Piedras, Puerto Rico, Vol. I, Núm. I, enero/junio 1984.	
1984-1985	Catedrático Auxiliar de Español en la Universidad de Puerto Rico en Arecibo. Miembro, Comité Examinador, College Board de Puerto Rico.	
Desde 1984	Guionista independiente.	
1984-1986	Comentarista Literario en WAPA-TV, Canal 4, Programa "Hoy". (Anfitrión del segmento literario.)	
1985	Publica el cuento "El telefónico", *El Nuevo Día*, San Juan de Puerto Rico, 25 agosto 1985 (p.1 del suplemento dominical "Domingo").	Mikhail Gorbachev propone el Glasnost y la Perestroika.
1985-1987	Director del Programa de Honor y Catedrático Auxiliar de Español en la Universidad de América en Bayamón, donde también dirige un taller de cuento. Profesor a tiempo parcial en el Programa Graduado de la Universidad del Sagrado Corazón.	
1986	Escribe el guión de "La muerte de Carmencita", célebre anuncio de servicio público para combatir el	Explosión de la nave espacial Challenger. Accidente nuclear en Chernobyl. Corazón Aquino gana elecciones en Filipinas; se van los

Literatura: Kundera: *La insoportable levedad del ser*. **Premio Nobel**: Jaroslav   1984
Seifert, Checoslovaquia. Muere Truman Capote.

Literatura: García Márquez: *El amor en los tiempos del cólera*. Giovanni Quessep: 1985
Muerte de Merlín. **Premio Nobel**: Claude Simone, Francia. **PR**: Se publica la *Revista
del Centro de Estudios de Puerto Rico y del Caribe*, iniciativa de Ricardo Alegría.
Película *La gran fiesta*, Marcos Zurinaga.

Literatura: Muere Jorge Luis Borges. Alvaro Mutis: *Un homenaje y siete noc-*   1986
turnos. **Premio Nobel**: Akinwande Oluwole Soyinka, Nigeria. **PR**: Edgardo Rodríguez-Juliá: *Una noche con Iris Chacón*, novela, y *Campeche, o los diablejos*

AÑO	LUIS LÓPEZ NIEVES	CONTEXTO HISTÓRICO
	dengue hemorrágico en Puerto Rico, protagonizado por Daniel Lugo. *Hueso húmero*, (Lima, Perú, diciembre de 1986) publica una edición pirata de *Seva*.	Marcos. El escándalo Iran-Contra en Estados Unidos. U.S.S.R. lanza la estación espacial Mir.
	Escribe el guión de 1887, miniserie para la televisión.	
1987	Ediciones de la Flor publica el libro de cuentos *Escribir para Rafa*, en Buenos Aires, Argentina.	ADN se usa por primera vez en juicio criminal.
	Publica el cuento "El comiquísimo vendedor de pistolas", *Puro cuento*, Buenos Aires, Año I, Núm. 6, sep-oct 1987, p. 25.	
Desde 1987	Catedrático de Literatura y Comunicación en la Universidad del Sagrado Corazón. Profesor de Comunicación y del Programa de Maestría en Redacción para los Medios. Funda y dirige el taller de cuento. En el 2004 funda el Programa de Maestría en Creación Literaria, que actualmente dirige. Desde el 2004 es profesor de Creación Literaria.	
1988	Director de las páginas literarias del periódico *El Mundo*, San Juan de Puerto Rico.	Pan Am 103 Lockerbie. Pinochet llama a un plebiscito que vota en su contra.
	Publica el cuento "Última noche", *Fetasa*, Santa Cruz de Tenerife, Islas Canarias, España, 1988, pp.109-12.	
1988-1990	Miembro de la Junta de Directores de la revista literaria española *Fetasa*.	
1989	Publica "Seva" en la antología *El muro y la intemperie: El nue-*	Caída del Muro de Berlín. Derrame de aceite del Exxon Valdez. Masacre de estudiantes en

de la melancolía, ensayos.

Premio Nobel: Joseph Brodsky, Rusia y EE.UU.   1987

Premio Nobel: Naguib Mahfouz, Egipto.   1988

Literatura: García Márquez: *El general en su laberinto*. **Premio Nobel**: Camilo   1989
José Cela, España. **PR**: Jacobo Morales, *Lo que le pasó a Santiago*, película.

vo cuento latinoamericano, Julio
Ortega, Ediciones del Norte, New
Hampshire, Estados Unidos.

Publica un fragmento de su novela
*La felicidad excesiva de Alejandro
Príncipe* en la *Revista de Salud y
Cultura*, Río Piedras, Universidad
de Puerto Rico, Año 1, Vol. 1,
Núm. 2, 1989, pp. 171-79.

Tiananmen Square en China. **PR:** El huracán
Hugo hace estragos a la isla.

1990   Escribe, por encargo, el guión de
Los Robles, miniserie para la televisión.

Se lanza el telescopio espacial Hubble.
Lech Walesa elegido el primer Presidente
de Polonia. Nelson Mandela puesto en libertad.

Desde   Miembro de la Sociedad Puertorri-
1990   queña de Genealogía.

1991   Prepara la primera edición del *Glo-
sario de dudas y dificultades de la
lengua española en Puerto Rico*,
el cual revisa anualmente. Primero
disponible en papel, desde el 1995
disponible en ciudadseva.com.

Colapso de la Union Soviética. Sudáfrica
abroga las leyes de Apartheid.

Publica el cuento "El lado oscuro
de la luna" en la antología *Cuentos
para ahuyentar el turismo*, Vitalina
Alfonso y Emilio Jorge Rodríguez,
Editorial Arte y Literatura, La Habana, Cuba.

Lee su cuento "Los mensajes de
Gabriel" en la Librería Hermes,
Condado, Puerto Rico, 6 noviem-
bre 1991.

1992   Profesor Visitante, Universidad de
Massachusetts en Boston, Estados
Unidos, donde dirige un taller de
cuento.

Fin de la Guerra Fría. **PR**: Pedro Roselló es
elegido gobernador de Puerto Rico.

Lee varios cuentos suyos en la Uni-

Literatura: Muere Lawrerice Durrell. Arturo Uslar Pietri: *La visita en el tiempo*.   1990
Alvaro Mutis: *Amirbar*. **Premio Nobel**: Octavio Paz, Mexico. **PR**: Documental
Cuentos de Abelardo [Díaz Alfaro], de Luis Molina Casanova.

Literatura: García Márquez: *Doce cuentos peregrinos*. Octavio Paz: *91 conver-*   1991
gencias. Uslar Pietri: *La creación del nuevo mundo*. **Premio Nobel**: Nadine Gor-
dimer, Sudáfrica. **PR**: se declara el español como único idioma oficial y Puerto
Rico recibe el Premio Príncipe de Asturias por esta iniciativa. Acevedo, Ramón
Luis. *Del silencio al estallido: Narrativa femenina puertorriqueña*.

Literatura: Fuentes: *El espejo enterrado*. L. Althusser: *El porvenir dura mucho*   1992
tiempo (edición póstuma). **Premio Nobel**: Derek Walcott, Santa Lucía. Quinto
centenario de la llegada de Colón a América.

versidad de Massachusetts en Boston, Massachusetts, 4 junio 1992.

Lee varios cuentos suyos en la Biblioteca Pública de Boston (Boston Public Library), Boston, Massachusetts, Estados Unidos, 16 junio 1992.

Lee varios cuentos suyos en Roxbury Community College, Boston, Massachusetts, Estados Unidos, 18 junio 92.

1993   Publica el cuento "Los mensajes de Gabriel", *Postdata*, San Juan de Puerto Rico, Número 8, diciembre 1993, pp.132-136.

Explosión de bomba terrorista en el edificio Centro de Comercio Mundial en Nueva York. Firman Yasser Arafat e Yitzhak Rabin Acuerdo de Oslo entre los palestinos e Israel.

Lee un fragmento del cuento "La verdadera muerte de Juan Ponce de León" en el Ateneo Puertorriqueño, San Juan de Puerto Rico, 3 noviembre 1993.

1994   Publica el cuento "La verdadera muerte de Juan Ponce de León", El Carillón, Boston, Massachusetts, Estados Unidos, Año 4 Núm 6, noviembre 1994, pp.8-12.

Se abre el túnel que atraviesa el Canal Inglés, conectando Inglaterra y Francia. Nelson Mandela elegido Presidente de Sudáfrica. **PR**: El líder socialista Juan Mari Bras renuncia la ciudadanía norteamericana, comenzando una controversia jurídica sobre el requisito de esa ciudadanía para votar en Puerto Rico.

Funda y produce la Videoteca Literaria de la Universidad del Sagrado Corazón, un archivo de las imágenes y voces de los escritores más importantes de Puerto Rico (videoentrevistas de una hora).

1995   Funda el portal "Ciudad Seva" (ciu-

Ataque de gases en el subterráneo de Tokío.

Literatura: Álvaro Mutis: *Tríptico de mar y tierra*. Juan Carlos Onetti: *Cuando ya no importe*. **Premio Nobel**: Toni Morrison, EE.UU. **PR**: La legislatura declara el inglés y el español idiomas oficiales.   1993

Premio Nobel: Kenzaburo Oe, Japón.   1994

Premio Nobel: Seamus Heaney, Irlanda. **PR**: Rosario Ferré: *House on the Lago-*   1995

dadseva.com) en internet. Primer
escritor de lengua española (y uno
de los primeros en todo el mundo)
con página electrónica propia.

Creador de una célebre campaña de
servicio público para la Universidad del Sagrado Corazón: "Idioma
defectuoso, pensamiento defectuoso". Escribe los guiones para los
anuncios de televisión y radio.

1996   Recibe el "Premio José de Diego", otorgado por el Instituto de
Cultura Puertorriqueña por su
"Aportación al enriquecimiento
del idioma español".

Publica el cuento "La verdadera
muerte de Juan Ponce de León",
*Inti: Revista de Literatura Hispáni-
ca*, Rhode Island, Estados Unidos,
Número 43-44, primavera-otoño
1996, pp. 421-436.

1997   La Editorial de la Universidad de
Puerto Rico publica el libro *Te
traigo un cuento: Cuentos puertorriqueños de 1997*, recopilación
de cuentos de sus estudiantes del
taller de cuento de la Universidad
del Sagrado Corazón.

Publica el cuento "The Extremely
Funny Gun Salesman" ("El comi-
quísimo vendedor de pistolas" tra-
ducido al inglés), *The Journal of
Pedagogy, Pluralism & Practice*,
Issue 1, Vol.1: Spring 1997. Revis-
ta de Lesley College, Cambridge,
Massachusetts, Estados Unidos.
Publica el cuento "The Extremely
Funny Gun Salesman" ("El co-

Bomba vuela edificio federal en Oklahoma.
Asesinado Yitzhak Rabin, Primer Ministro
de Israel.

Los talibanes toman Kabul, capital de Afganistán.
PR: Pedro Rosselló es elegido gobernador por segunda vez por mayoría clara de 51.8%. Vistas en
el Congreso norteamericano sobre una propuesta
de autonomía eventual para Puerto Rico.

Hong Kong devuelto a China. El cohete Pathfin-
der aterriza en el planeta Marte. Muere Madre
Teresa. Cometa Hale-Bopp visible.

on, novela, publicada primero en inglés.

Literatura: Carmen Martín Gaite: *Lo raro es vivir*. Alberto Manguel: *Historia de la lectura*. Jostein Gaarder: *Vita brevis*. Eduardo Mendoza: *Una comedia ligera*. Ana María Matute: *Olvidado rey Gudú*. **Premio Nobel**: Wislawa Szymborska, Polonia. Mueren el actor italiano Marcello Mastroianni y la cantante Ella Fitzgerald. **PR**: Muere el ensayista José Luis González, autor de *El país de cuatro pisos y otros ensayos*.

1996

Literatura: Juan Goytisolo: *Placer licuante*. Enrique Vila-Mata: *Extraña forma de vida*. **Premio Nobel**: Darío Fo, Italia. Guillermo Cabrera Infante, escritor cubano, Premio Cervantes.

1997

miquísimo vendedor de pistolas"
traducido al inglés) en la antología
Writing Between the Lines, Bowen
& Weigel, University of Massachusetts Press, Amherst.

Publica el cuento "El lado oscuro
de la luna" en la antología *El cuento
hispanoamericano en el siglo XX*,
Fernando Burgos, Editorial Castalia, Madrid, España.

Publica el cuento "Der Telefoniker"
("El telefónico" traducido al alemán)
en la antología Die Horen, Wilfried
Böhringer, Alemania, Año 42, 3er
cuarto, edición 187.

Es el único puertorriqueño que asis-
te al Primer Congreso Internacional
de la Lengua Española, celebrado
en Zacatecas, México. Se horroriza
al descubrir que algunos latinoamericanos no saben cuál es el idioma
de Puerto Rico. Escribe el artículo
"El idioma de Puerto Rico", que se
difunde ampliamente por el mundo.
Disponible en ciudadseva.com.

Publica el ensayo "El placer de
inventar la historia", *Revista Interamericana*, San Germán, Puerto
Rico, Vol. XXVII, Núm. 1-4, Ene-
ro-diciembre 1997, pp.139-146.

Columnista, periódico *El Star en Español*.

| 1998 | La Editorial Cordillera publica la tercera edición del libro *Escribir para Rafa*. | Presidente Bill Clinton residenciado en Estados Unidos. **PR**: Un nuevo referéndum de status rechaza todas las opciones (independencia, incorporación a Estados Unidos como estado, Estado Libre Asociado) con el voto por "nin- |

Literatura: Mueren los escritores mexicanos Octavio Paz y Elena Garro. **Premio**   1998
Nobel: José Saramago, Portugal. **Cine**: Muere Akira Kurosawa.

guna" dejando el statu quo (la última opción).
Huracán Georges deja a 24,000 desplazados.

Publica el ensayo "La historia
como fuente de inspiración literaria", *Hispania*, Universidad de
Georgetown, Wáshington, D.C.,
Estados Unidos, Volumen 81, Número 1, marzo 1998, pp.60-65.

1999   Escribe el guión para televisión y
radio de "El deso", nuevo anuncio
para la exitosa campaña de servicio público "Idioma defectuoso,
pensamiento defectuoso".

La primera Guerra del Golfo en el Mediano
Oriente. El euro es la nueva moneda de Europa.
El Canal de Panamá se devuelve a Panamá.

2000   La Editorial Cordillera publica su
libro *La verdadera muerte de Juan
Ponce de León,* cuentos históricos.
Gana el Primer Premio del Insti-
tuto de Literatura Puertorriqueña
(Premio Nacional de Literatura), el
más importante premio literario de
Puerto Rico.

Genoma humano descifra los secretos genéti-
cos. Vicente Fox Quesada elegido Presidente
de México y George W. Bush de Estados Unidos. **PR**: Primera mujer elegida gobernadora
en Puerto Rico, Sila María Calderón.

Publica el cuento "El telefónico"
en la antología *Los nuevos caníba-
les: Antología de la más reciente
cuentística del caribe hispano*, Bo-
bes, Valdez y Gómez Beras, Editorial Isla Negra (junto a Ediciones
Unión/Cuba y Editorial Búho/Re-
pública Dominicana), San Juan de
Puerto Rico.

Publica un fragmento del relato "El
señor de los platillos" en *Lenguaje y
comunicación 8: Serie siglo XXI*, Ediciones Santillana, Madrid, España.

Conceptualiza y crea la Maestría
en Redacción para los Medios de
la Universidad del Sagrado Cora-

Literatura: Muere el poeta español José Luis Cano, fundador de la revista *Ínsula*. · · · 1999
Premio Nobel: Gunter Grass, Alemania. **PR**: Muere Abelardo Díaz Alfaro, cuentista, autor de "El Josco". Marta Aponte Alsina: *La casa de la loca*, cuentos.

Literatura: Premio Nobel a Gao Xingian de China, por la validez universal y · · · 2000
el gran ingenio lingüístico de su obra, que le ha despejado el camino a nuevas tendencias literarias en el drama y la literatura en China. **PR**: Muere Francisco Matos Paoli, prolífico poeta, autor de *Canto de la locura*.

zón, la primera de su tipo en Puerto Rico. Catedrático de Redacción para los Medios.

Publica el cuento "De uiterst grappige pistolenverkoper" (traducción al neerlandés de "El comiquísimo vendedor de pistolas"), *De tweede ronde*, Numer 2 (Zomer 2000), Amsterdam, Holanda, pp.140-142.

Publica el cuento "La muerte del presidente", *El Nuevo Día*, San Juan de Puerto Rico, 9 abril 2000, pp. 80-81.

2001	Publica un fragmento de "Seva" en *Lectura y comunicación 12: Serie siglo XXI*, Ediciones Santillana, Madrid, España.	El 11 de septiembre en ataques simultáneos, terroristas de Al Qaeda se apoderan de aviones de pasajeros y los usan como proyectiles contra las dos torres gemelas del Centro de Comercio Mundial en Nueva York y el Pentágono. Otro avión asediado se choca para evitar un ataque contra la capital de la nación. En total son más de tres mil muertos. **PR**: El presidente de Estados Unidos George W. Bush ordena el cese de ejercicios militares en Vieques para 2003.

Publica el cuento "La absolución", *El mono adivino*, Internet, diciembre 2001, www.monoadivino.org.

Fundador y director de la Biblioteca Digital Ciudad Seva (ciudadseva.com).

2002	La Casa de España en Puerto Rico le rinde homenaje por su "aportación a la literatura y al idioma".	El euro en uso en doce países europeos. Guerra en Irak derriba a Sadam Hussein. Camino a la Paz propuesto por Bush para el Mediano Oriente.
2003	Empieza a publicar su columna	Huelga general de nueve semanas en Venezuela.

Literatura: Muere el escritor brasilero Jorge Amado. Premio Príncipe de Asturias   2001
de las Letras a la escritora Doris Lessing. **Premio Nobel**: Vidiadhar Surajprasad
Naipaul, U.K. Muere Anthony Quinn, actor en más de 100 películas, entre ellas
Sorba el griego y *Lawrence de Arabia*.

Literatura: Fuentes: *En esto creo*, autobiografía-alfabeto. Álvaro Mutis, Premio   2002
Cervantes. El cubano Cintio Vitier, XII Premio de Literatura Latinoamericana y del
Caribe Juan Rulfo. Alfredo Bryce Echenique y Orhan Pamuk, Premio Grinzane Ca-
vour 2002 de Literatura Extranjera. Mario Vargas Llosa, Premio Nabokov del PEN
American. **Premio Nobel**: Imre Kertész, Hungría. **PR**: Muere el dramaturgo Ma-
nuel Méndez Ballester. Se publica *Cuentos completos* de Emilio Díaz Valcárcel.

Literatura: El poeta chileno Gonzalo Rojas gana el Premio Cervantes por sus   2003

"Cartas Bizantinas" en ciudadseva.com.

Explosión de la nave espacial Columbia; mueren siete astronautas.

La séptima edición de la renombrada antología *El cuento hispanoamericano*, de Seymour Menton (Fondo de Cultura Económica, México) incorpora el cuento "El conde de Ovando" del libro *La verdadera muerte de Juan Ponce de León*.

2004   Publica el cuento "En el año 1627 un barco zarpa de la bahía de San Juan", El Nuevo Día, (*Revista Foro*), San Juan de Puerto Rico, 31 octubre 2004, pp.7-8.

Los socialistas ganan las elecciones en España. Aristide huye de Haití. Enorme tsunami mata a 283,000 en Asia. Referéndum en Venezuela confirma a Hugo Chaves como presidente. El ex-presidente de Estados Unidos Ronald Reagan muere en California. **PR**: Se elige un nuevo gobernador, Aníbal Acevedo Vilá.

Conceptualiza y crea la Maestría en Creación Literaria de la Universidad del Sagrado Corazón, la primera (y única) de su tipo en Puerto Rico. Catedrático de Creación Literaria y director del Programa.

Publica el ensayo "Historia trocada" en *Los escritores y la creación en Hispanoamérica*, Fernando Burgos [Editor], Editorial Castalia, España.

Publica el cuento "El lado oscuro de la luna" en la antología *Literatura puertorriqueña del siglo XX: Antología,* Mercedes López Baralt, Editorial de la Universidad de Puerto Rico, Río Piedras, Puerto Rico.

Publica el cuento "En la muralla de San Juan", *Claridad* (*En Rojo*), San Juan de Puerto Rico, 27 enero 2005,

obras completas. El Premio Juan Rulfo va a Rubem Fonseca, del Brasil. Fernando Vallejo recibe el Rómulo Gallegos por *El desbarrancadero*. **Premio Nobel**: John Maxwell Coetzee, Sudáfrica.

Literatura: Tercer Congreso Internacional de la Lengua Española en Rosario, Arg. Cuarto centenario de la publicación del *Quijote*: se conmemora con una edición especial de doce mil ejemplares, de la Real Academia Española, la Editorial Santillana y la Asociación de Academias de la Lengua. Prestigiosos premios a dos famosos novelistas españoles: el Juan Rulfo a Juan Goytisolo y el Cervantes a Rafael Sánchez Ferlosio. **Premio Nobel**: Elfriede Jelinek, Austria. **Cine**: *Mar adentro*, cuyo protagonista es el tetrapléjico Ramón Sampedro, recibe el Premio Goya (Alejandro Amenábar, director y productor). **PR**: Mercedes López Baralt: *Literatura Puertorriqueña del Siglo XX*, antología de 1045 páginas.

2004

Año XLV, Núm. 2710, pp.22-23.
Publica el cuento "Lisa di Noldo",
Actual, Vol. 55-56, Mérida, Vene-
zuela, junio 2005, pp.171-178.

2005   El Grupo Editorial Norma, de Co-   Muere el Papa Juan Pablo II. Huracán Katrina
        lombia, publica la novela *El corazón*   arrasa partes del sur de Estados Unidos, cau-
        de Voltaire en la prestigiosa colec-   sando enormes daños en la histórica ciudad
        ción "Literatura o Muerte". El libro   Nueva Orleans. **PR**: El Congreso Norteame-
        empieza a distribuirse internacional-   ricano ordena cerrar la base Roosevelt Roads
        mente en diciembre de 2005.   en Ceiba. Empieza la limpieza de desechos de
                                                  ejercicios militares en Vieques.

2006   La novela *El corazón de Voltaire*
        recibe grandes elogios y se con-
        vierte en un éxito de ventas. En fe-
        brero de 2006, a sólo dos meses de
        la publicación del libro, el Grupo
        Editorial Norma empieza a impri-
        mir la segunda edición.

Literatura: El Premio Rómulo Gallegos a Isaac Rosa (España) por *El vano ayer*.
Premio Juan Rulfo a Tomás Segovia, México. El escritor mexicano Sergio Pitol
es galardonado con el Premio Miguel de Cervantes por el conjunto de su obra,
que incluye *La vida conyugal* (1991) y *El arte de la fuga* (1996). La UNAM,
la Ibero, el Centro de Cultura Casa Lamm y la Universidad Carlos III crean el
primer diccionario cultural, dedicado a la vida y obra de 686 artistas mexicanos
contemporáneos importantes, y disponible vía Internet, en versión impresa y en
disco compacto. **Premio Nobel**: Harold Pinter, Inglaterra. **PR**: Muere Enrique A.
Laguerre, autor de quince novelas, a un mes de cumplir la edad de cien años. Se
publica una edición conmemorativa de sus *Novelas completas en cuatro tomos*,
iniciativa de Ricardo Alegría.

2005

Cine: Es galardonado con el Premio Goya *La vida secreta de las palabras* de la
cineasta catalana Isabel Coixet. **PR**: Se agota en un mes *El corazón de Voltaire*,
novela de Luis López Nieves y se publica la segunda edición.

2006

AQUÍ TERMINA CRUZ

CARA / CRUZ

AQUÍ
TERMINA
CARA